GX時代に下剋上を起こす

下請け製造業のための脱炭素経営入門

株式会社ゼロプラス代表取締役
大場正樹

ダイヤモンド社

埼玉県某町
ここにはお互いをライバル視する
同規模の精密板金事業者がいた
巻内板金工業
社長 巻内コウヘイ
株式会社 巻内板金工業
活田製作所
社長 活田シンイチ
㈱活田製作所
チュン
チュン
チュン
巻内
世の中カーボンニュートラル流行りだなぁ
あ、俺もちょうど昨日授業で習ったよ
今はSDGsが――

巻内板金工業
事務所
取引先から
です
製品製造時の
CO_2排出量の
調査票？
ウチみたいな
中小企業が
こんなこと
気にして
られれんっての！
ほっとけ！
そして
数年後ー
しゃ…
社長ぉっ…
株式会社 巻内板金工業
取引先が今後の
取引を終了すると
言ってきました…
な…
そんな…
ど…
どうして…
社長…
最近
活田製作所のほうに
行かれたことは…？
？

こ…これが
活田製作所か！
ドドーン
いつの間に
ここまで…
やぁ久しぶり
巻内さん
！
お…
教えてくれ
活田さん…
ガガ
この成長ぶりは
どうやって…？
あぁ…
ウチは早い段階で
脱炭素に取り組んで
工場に
太陽光パネル
営業車の EV
取引先にも
製品のCO_2を
減らすための提案を
してきたからね
製造方法の提案
素材の変更提案
etc.
提案書
提案書
おかげさまで
求職者も
増えているよ
……

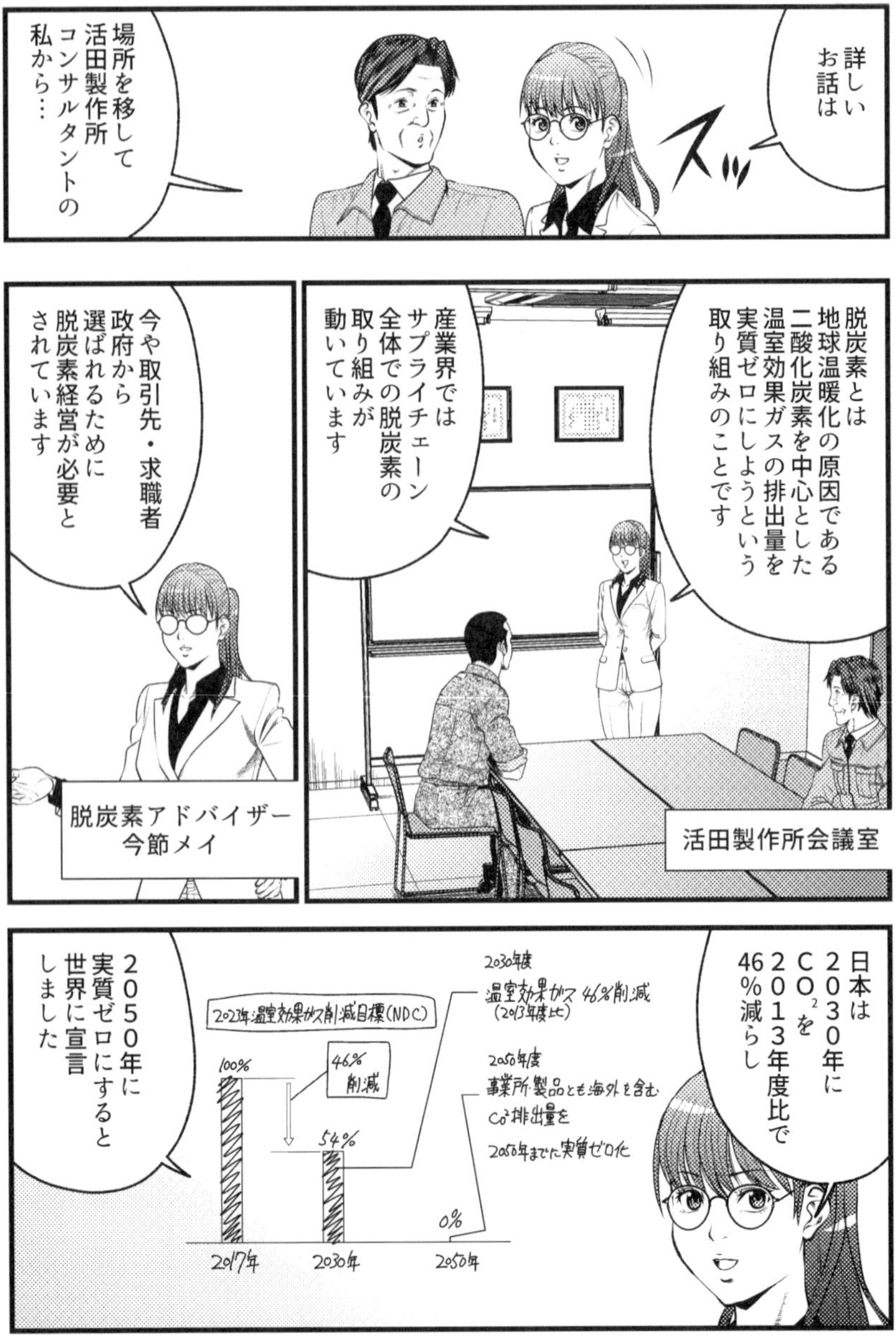
詳しいお話は
スッ
場所を移して活田製作所コンサルタントの私から…
脱炭素とは地球温暖化の原因である二酸化炭素を中心とした温室効果ガスの排出量を実質ゼロにしようという取り組みのことです
産業界ではサプライチェーン全体での脱炭素の取り組みが動いています
活田製作所会議室
今や取引先・求職者政府から選ばれるために脱炭素経営が必要とされています
脱炭素アドバイザー
今節メイ
日本は2030年にCO_2を2013年度比で46%減らし
2050年に実質ゼロにすると世界に宣言しました
2023年温室効果ガス削減目標(NDC)
100%
46%削減
54%
0%
2017年
2030年
2050年
2030年度
温室効果ガス 46%削減
(2013年度比)
2050年度
事業所・製品とも海外を含む
CO_2排出量を
2050年までに実質ゼロ化

しかし この目標は 電力会社や大企業が 努力するだけでは 達成されません!
例:原発の再稼働
震災前のエネルギー構成から計算すると 全体の10%ほどしか減らない
大企業努力→大企業の排出をゼロにしても全体の40%ほどしか減らない
技術革新 ↓ まだまだ時間がかかる
カカッ
カッ
カッ
カッ
中小企業も 取り組まなければ ならないのです!!
ヨーロッパでは 2024年から 自動車用バッテリー等で 製品製造にかかる CO_2総排出量の 申告が義務化されます
EVカー
EVカー用バッテリー
蓄電池に値札のように「CO_2排出量●●kg」と 表示されるようになり
それが他の製品にも 広がる可能性が あるのです
大手企業から 1次請け 2次請けへと 徐々に CO_2開示
削減要請が 進んでいます
今までは 大手企業が QCDで 企業を選んで いましたが
これからは QCD+Cで 選ぶように なるでしょう
QCD=Quality(品質)・Cost(コスト)・Delivery(納期)
QCD+C=Quality(品質)・Cost(コスト)・Delivery(納期)+Carbon(カーボン)
ピシッ

ここで耳寄りな情報をひとつ
脱炭素に取り組むと設備投資に国からの補助金も出ます
これを使わない手はありませんよ！
こちらが買えますよ！
脱炭素につながる板金加工設備の例
ファイバーレーザー加工機
なんだってー
中小企業への補助額は
ものづくり補助金グリーン枠：最大4000万円
事業再構築補助金グリーン成長枠：最大1億円
そうか…これは無視せず勉強すればよかったことだったんだな…
ガクー…
巻内さん…
いやっまだだ！まだ遅くない
こっからまた絶対に巻き返すからな！
負けないぞ活田ー
まだまだ油断できないなこりゃ

まえがき

最近、新聞やネットニュース、また取引先との会話の中などでよく耳にする「脱炭素」というキーワード。中小企業経営者の中で「脱炭素」の本質をきちんととらえ、長期的な視点で対処している方はどれくらいいらっしゃるでしょうか。

中小企業経営者の皆さんの認識は、「なんとなく聞いたことがある」「大企業や政府が対応するもの」「周りの企業が取り組んでから動く」といった感覚で「脱炭素」問題をとらえているのではないかと思います。なぜなら私も2年ほど前にこの問題に関心を寄せた当時、皆さんと同じ心境でした。そもそも「脱炭素」問題を考えるとき、科学的に正論なのか、政治的な思惑ではないのかなど、経営とは違う次元の話題に惑わされたりします。また、「脱炭素」問題自体が非常に大きく複雑なテーマで、ぱっと理解するのが難しいことも、なかなか対処できない要因です。

私も皆さんと同じで、どこか他人事《ひとごと》として問題をとらえていましたが、「脱炭素」が中小企業経営に与える影響の根本原因を突き止めてから、この問題に対する姿勢が180度転換しました。今では、「脱炭素」に取り組まない中小企業は生き残れないと確信しています。

「脱炭素」というキーワードが、この先30年にわたる長期間、企業経営の中心課題であり続けます。それは、世界の人々がサステナビリティを求めているからです。サステナビリティとは、持続可能性、つまり「美しい地球を守る」ということです。

世界の人々が、サステナビリティを求めていくと、環境に優しい商品を購入しようとします。環境に優しい商品と環境に配慮していない商品が同じ価格で並んでいたら、環境に優しい商品が購入されます。サステナビリティの要求がもっと高まると、環境に優しい商品の価格が高くても購入されるようになります。現実に2023年現在でも、スーパーの洗剤コーナーでは、詰め替えパックが棚を埋め尽くしています。また電気自動車やハイブリッド車も、ガソリン車に比べて価格が高いにもかかわらず、環境意識の高い層に購入されています。

コロナ禍を経て、日本は新しい時代へ突入しています。

中小企業を取り巻く環境も、これまでの数十年間の常識がまったく通用しない新時代の基準に変わりつつあります。新時代の日本経済において、特に2つの大きな環境変化があります。1つはデフレ経済からインフレ経済への転換です。もう1つが労働人口の減少です。インフレ経済というのはモノよりも貨幣のほうが多くなり、貨幣の価値が下がる、つまりモノの供給が不足している状態です。供給が不足しているインフレ経済下で人手不足が起こりますから、儲かっている会社は供給能力を拡大するため、これまで以上に賃金を高くして人材を確保しようとします。労働者側もインフレにより貨幣の価値が下がり、実質賃金が低下していますから、より高い賃金を求めてどんどん転職しはじめています。皆さんがCMでよく目にする「ビズリーチ」の広告を見れば、この流れは明確でしょう。結果、これまでに経験したことのない労働者不足と賃金高騰が予測されます。

人手不足と賃金高騰時代を生き抜く企業に必要なことは、商品単価の値上げです。これまで30年間のデフレ時代では、コストカットに次ぐコストカットで安く売ることが正義でした。しかし時代は大転換したのです。商品の値上げ以外の選択肢はあり得ません。

しかし、まったく同じ商品のまま、販売単価のみを上げることは困難を極めます。品質が良くなるとか、納期が早くなるなど、値上げする理由があるほうが値上げは順調に進みます。

私は、この「脱炭素」が品質や納期と並ぶ価値として値上げの根拠になると考えています。つまり「脱炭素」という価値を通じて商品の値上げ交渉を有利に進めた企業が、新時代の賃金高騰に対応して優秀な労働者を確保し、生産能力を維持することで高い競争力を得ることができると思っています。

逆に「脱炭素」の取り組みに遅れた企業は、価格競争の世界から抜け出すことができず、高騰した賃金を負担できないことで人員不在になり、生産できなくなって廃業するか、付加価値に見合わない賃金を払い続けて赤字になって倒産するかのどちらかになります。


「脱炭素」に取り組めば、生き残れるチャンスが広がるのです。

「地球を守る」という意識の人々に、反論できますか？

環境問題に消極的な企業は、こうした人々から選択されなくなります。

生き残るため、選ばれ続けるために「脱炭素」に取り組むのです。

本書では、できるだけわかりやすく「脱炭素」問題を理解してもらえるように、マンガや図表を多用し、平易な言葉で説明をしていきます。経営者の皆さんには、「脱炭素」を経営課題の中心に据えていただき、「脱炭素」最先端企業として、さまざまなビジネスチャンスをつかんでいただきたいと思っています。

GX時代に下剋上を起こす
下請け製造業のための脱炭素経営入門　目次

プロローグ　3
まえがき　9
推薦のことば　24

第1章　脱炭素は250年に一度の下剋上のチャンスだ

1 産業革命以来の大革命がやって来る 26
何百年に一度レベルの大課題「脱炭素」 26
大企業から中小企業へと押し寄せる脱炭素の波 31
あらゆる商品に加わる新しい価値「カーボン」 33
2 今始めれば、誰でも先進企業になれるチャンス！ 36
脱炭素に取り組む中小企業は1万社に1社 36
中小企業は他社の脱炭素を待っている 37
脱炭素の先進企業になれるチャンス！ 38
3 経営課題の中心にCO_2削減を据えよう 41
中小企業が脱炭素に取り組む3つのメリット 41
CO_2削減は単なる義務ではなく、新たなビジネスチャンスだ 43
コラム 産業革命と人口 44

第2章 中小企業にも脱炭素の波がすぐそこに

1 脱炭素は全企業、全人類が避けて通れない 50
● 日本が世界に宣言した目標：２０３０年にCO_2排出量46％削減 50
● 脱炭素先進国を目指す日本 52
● CO_2排出量の削減は中小企業の対応も必須 54

2 グローバルで進む脱炭素の実質義務化 59
● 金融市場では脱炭素を意識した投資が始まっている 59
● ヨーロッパ発の国境炭素税が世界の脱炭素を加速させる 62
● ヨーロッパのバッテリー業界では脱炭素規制が始まった 64
● ヨーロッパのバッテリー規則が全世界に波及する 69

3 １００兆円単位の投資でカーボンニュートラルを進める日本の本気 71

・150兆円の官民投資とGX経済移行債20兆円　71
・CO_2価格が1トン1万円の価値になる日も近い？　73

4 脱炭素を新たな成長の機会へ　77
・経済効果は290兆円、雇用創出効果は1800万人　77
・脱炭素の時代に成長が見込まれる産業　79

5 大企業が主導するサプライチェーン全体のCO_2排出量把握　85
・大企業が求められるCO_2排出量の開示　85
・CO_2排出量の算出範囲　87
・大企業からの要請開始　90

6 脱炭素に対応できない企業は市場から追い出される　95
・全世界を巻き込んだ脱炭素の波　95
・中小企業に求められること①　CO_2排出量の開示　97
・中小企業に求められること②　CO_2排出量の削減　98
・CO_2排出量の開示・削減をうまくアピールする　98

コラム　世界197カ国・地域の共通目標　100

第3章 GXで取引先から選ばれ続ける中小企業になる

1　トヨタ生産方式をひっくり返すかもしれない価値軸の大変革　106
・新たなる価値軸：C（カーボン）　106
・商品価値軸の革新的変化：QCDC　107
・商品価値軸の変化によって勝ちパターンが変わる例①　トヨタ生産方式　109
・商品価値軸の変化によって勝ちパターンが変わる例②　海外生産　111
・QCDCの商品価値軸が主流となる社会　112

2 大企業から絶対的な信頼を獲得するカーボンデザイン提案 113
カーボンデザイン：製品あたりCO_2排出量を設計する 113
カーボンデザインの具体例 116
大企業が求めるCO_2排出量の削減とカーボンデザイン 121
3 ライバルがいないうちに取引先を囲い込め 123
先行者利益を獲得できるチャンスは一度限り 123
攻めのGX：脱炭素が大きな成長につながるという発想の転換 125
コラム 大企業から下請け企業に対する脱炭素の押しつけは独占禁止法にあたるおそれ 127
コラム カーボンフットプリントの現在地 129

第4章 GXブランディングで人手不足を解消

1 未曾有の人手不足時代に突入 136
消えゆく日本の労働人口 136
生産力が企業の成長を左右する 138
リスクを取って従業員を確保する 141
2 若い世代ほど脱炭素／環境を重視する 142
環境意識の高い若い世代 142
就職先企業を決定した理由の1位は社会貢献度 143
3 若い世代にカーボンニュートラルの取り組みをアピールする 146
環境に配慮することで人材を確保した事例 146
自社の脱炭素の取り組みをホームページでアピールする 150

コラム 従業員に利益を還元することが最も大切 152

第5章 脱炭素に向けて第一歩を踏み出そう

1 最初にやるべきは世の中にGXへの取り組みを宣言すること 156
世論から認められることでメリットを享受できる 156
CO_2排出量削減ステップ——ダイエットを例にした削減アプローチ 158
国際基準に準拠したCO_2排出量の算定範囲 161
中小企業におけるCO_2排出量の算定範囲 163
2 現状のCO_2排出量を把握しよう 164

● 中小企業ではまず燃料・電力のCO_2排出量把握をおこなう 164
● 減らすフェーズを意識してCO_2排出量を細かい粒度で把握する 169

3 国際機関から認証を受けよう 173

● 認証が必要な理由――CO_2削減計画の立案になぜ認証が関係する? 173
● 中小企業ではSBTがおすすめ 174
● とにかく早く取り組むことが大切 178
● 島田工業株式会社のSBT認証の活用事例 179
● 中小企業版SBT取得までの流れ 180

4 認証されたらCO_2排出量の削減活動を始めよう 183

● スコープごとに削減アプローチを変える 183
● CO_2排出量削減活動を進める3ステップ 185
● CO_2排出量削減の事例紹介 187

5 国の支援策を最大限に活用しよう 189

● 脱炭素に取り組むことで1億円近くの補助金がもらえるチャンス 189

補助金活用のメリット　192
補助金の具体的な活用事例　197
補助金の今後　200
困ったときは国に相談　201
CO_2を削減し続けることで国からも応援される　204
コラム　GXはノーリスクでファーストペンギンになれる　205
コラム　地球温暖化の仕組み　207
あとがき　210
本書のカーボンフットプリント計算について　214

推薦のことば

脱炭素・自然共生の時代に、いったい何社の中小企業が生き残れるのか。1000社を超える中小企業の成長を支えてきた大場氏の提案は、まさにその答えだ。

環境省 元事務次官 中井徳太郎

炭素を制する者が勝ち残る。炭素を減らせば商機が広がる。

独立行政法人 中小企業基盤整備機構 理事長　豊永厚志

これから本格化する中小企業のＧＸの導入サポートとしての活用に期待したい。

中小企業庁 元長官　前田泰宏

「脱炭素への転換期における中小企業のＧＸ化の指南書」本書は、特に、中小の製造業を対象とした脱炭素経営、ＧＸ化に向けた入門書であり、わかりやすく解説された良書です。本書がより多くの人に読まれることにより、世界の脱炭素化が進むことを期待します。

関西大学 環境都市工学部 都市システム工学科教授　尾崎平

第1章

脱炭素は250年に一度の下剋上のチャンスだ

1
産業革命以来の大革命がやって来る

何百年に一度レベルの大課題「脱炭素」

脱炭素と聞くと、どうしても自分とは縁の遠いもの、あるいは単なる流行語ととらえる方も多いのではないかと思います。また、「250年に一度の下剋上」などといわれると、「何を大げさな」と思われる読者の方もおられるかもしれません。このような認識に対し、本書では次の2つのメッセージを皆さんにお届けしたいと思っています。

1つは、「脱炭素」は全企業・全人類が避けて通れないこと。

脱炭素は 産業革命以来、100年に一度の大変革

１つは、「脱炭素」に対応した企業が消費者、取引先から選ばれることです。

私たちは生きている中で、約10年ごとにさまざまな危機と向き合っています。例えば、２００８年のリーマンショックでは、アメリカの大手投資銀行の破綻が引き金となり、世界経済が急速に悪くなりました。その影響で、海外輸出が主力だった中小製造業は大きな打撃を受けました。また、２０２０年の新型コロナウイルスの世界的大流行では、多くの国が都市封鎖や移動制限をおこない、リモートワークなど新しい働き方が普及したほか、デジタルツールの活用が広がるなど幅広い領域で変化が起きました。こうした危機は、私たち中小企業の存続に深刻な影響を及ぼしますが、10年に一度は起こる話なの

で、数十年のビジネス人生の中で4〜5回は経験し、失敗や成功から学びを深めていくことができます。

一方、脱炭素の問題は、私たちがこれまでに経験した10年に一度の危機をはるかに超え、100年以上の時間軸で見て人類が遭遇するであろう非常に大きな課題です。このような人生に一度遭うか遭わないかという危機には、今までのビジネス人生の経験や常識では太刀打ちできない可能性が高いです。

ところが、この脱炭素という課題の重要性が多くの方には伝わっていないように感じています。なぜ重要性が伝わりにくいのかというと、大きく分けて2つの理由があると考えています。

1つ目の理由は、脱炭素については専門用語が多く、科学的な知識も必要なため、理解するのが難しい点にあります。ここで、本書を読み進めるにあたって最低限必要な脱炭素の用語について簡単に説明したいと思います。

まず、「脱炭素」という言葉ですが、カーボンニュートラルとほぼ同じ意味です。カーボンニュートラルとは、カーボン＝炭素、ニュートラル＝プラスマイナスゼロを意味し、CO_2（二酸化炭素）の排出量を吸収量で埋め合わせることにより、CO_2排出量を実質

GX（グリーントランスフォーメーション）
高炭素高成長から低炭素高成長に向けたチャレンジ

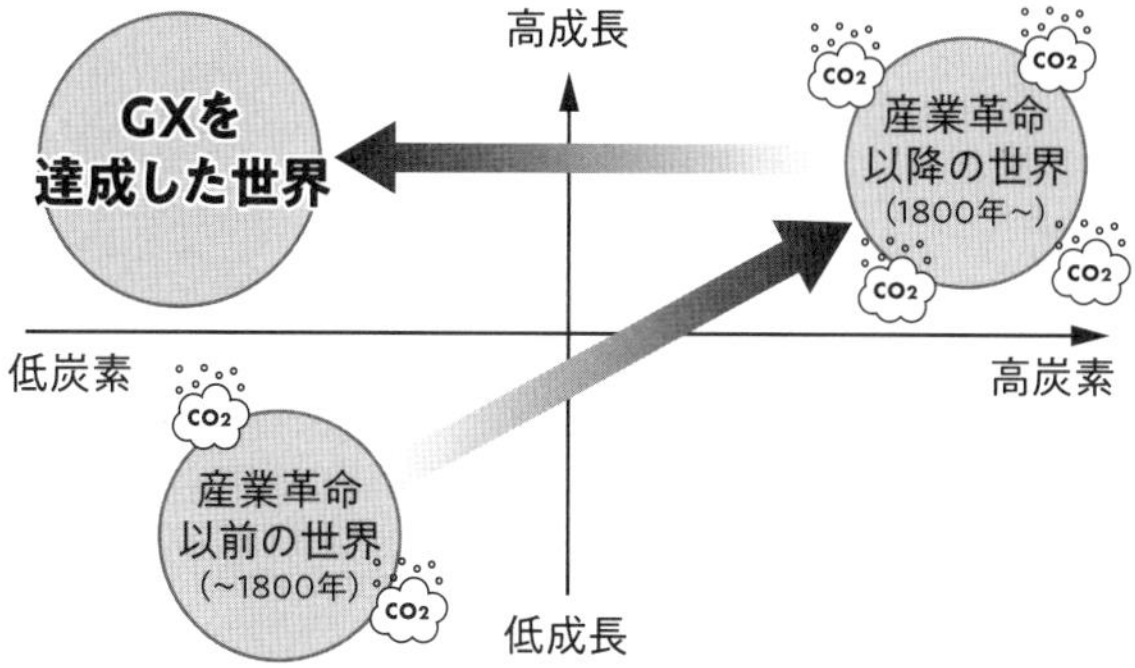

ゼロの状態にすることを意味します。多くの方はカーボンニュートラルを「CO_2を完全に排出しないようにすること」と誤解されていますが、実際は、排出量を最小限に抑えながら、削減しようにもできない排出量に関しては、新しい技術によって吸収することで実質ゼロを目指すこととなります。

似たような概念で、政府が積極的に使用しているGX（グリーントランスフォーメーション）という言葉もあります。直訳するとグリーンは「緑」でCO_2を減らすこと、トランスフォーメーションは「変革」という意味です。

詳細は次章以降で説明しますが、産業革命以降の経済発展、人口増加は化石エネルギーの使用とそれに伴うCO_2排出の増加によって実現してきました。そのような中、今までの経済構造のままでCO_2を減らそうとすると、人口を減らして産業革命以前の生活に戻るしか道がありません。ＧＸは従来の「高炭素高成長」から「低炭素高成長」へ転換することを意味しています。ＧＸは、まさに２５０年前に起きた産業革命と同じくらいの社会変革（トランスフォーメーション）であり、全人類が避けて通れない一大テーマといえるでしょう。

脱炭素の重要性が伝わりにくい２つ目の理由は、CO_2が無味無臭で直接的には害のない気体であるため、課題に対してリアリティを感じにくく、自分事になりにくいという点です。「CO_2排出問題の真の原因は中国やアメリカだ」もしくは「大手企業や電力会社が頑張れば解決する問題だ」といった意見もあり、当事者意識を持ちにくい現状もあります。

確かに、CO_2の排出が本当に問題なのかという議論はいまだに賛否が分かれていますが、脱炭素を求める声の源は世界的な消費者、世論であり、それらの声に押される形で政府や大企業を中心に脱炭素の具体的な取り組みが進みつつあります。この流れは中長期的に止まることはないでしょう。

また、政府のＧＸ推進戦略に書かれている通り、脱炭素を達成するための技術的な切り札はないという現実もあります。いくらお金を出しても、政府や電力会社やどこかの大企業が何かをすれば問題が解決する、といった手段がないのです。したがって、家庭部門や中小企業も等しく取り組んでいく必要があります。私の予測では、２０２６年には大企業だけでなく、多くの中小企業が脱炭素の取り組みを始め、２０３０年には脱炭素に取り組んでいない中小企業が淘汰《とうた》される時代がやって来ると思います。

大企業から中小企業へと押し寄せる脱炭素の波

「そんなことをいっても、中小企業の私たちのビジネスの中では脱炭素の話なんて聞いたことがない。まだまだ先の話だ」と思われている方も多いかもしれません。ところが、すでに大手企業から脱炭素に対する要請が取引先へ徐々に波及している業界も存在します。その代表として自動車業界の例をあげます。

トヨタ自動車株式会社は、２０５０年、カーボンニュートラルに向けて全力でチャレンジすることを宣言し、２０３５年までに世界の自社工場のCO_2排出量を実質ゼロにする目標を掲げています。２０２１年６月に、数百社の一次取引先に対してCO_2排出量を前年比で３％削減する目標を示したほか、二次取引先以下のすべての階層のCO_2排出量に

自動車業界に見る脱炭素の波：CO_2削減要請はすぐそこまで来ている

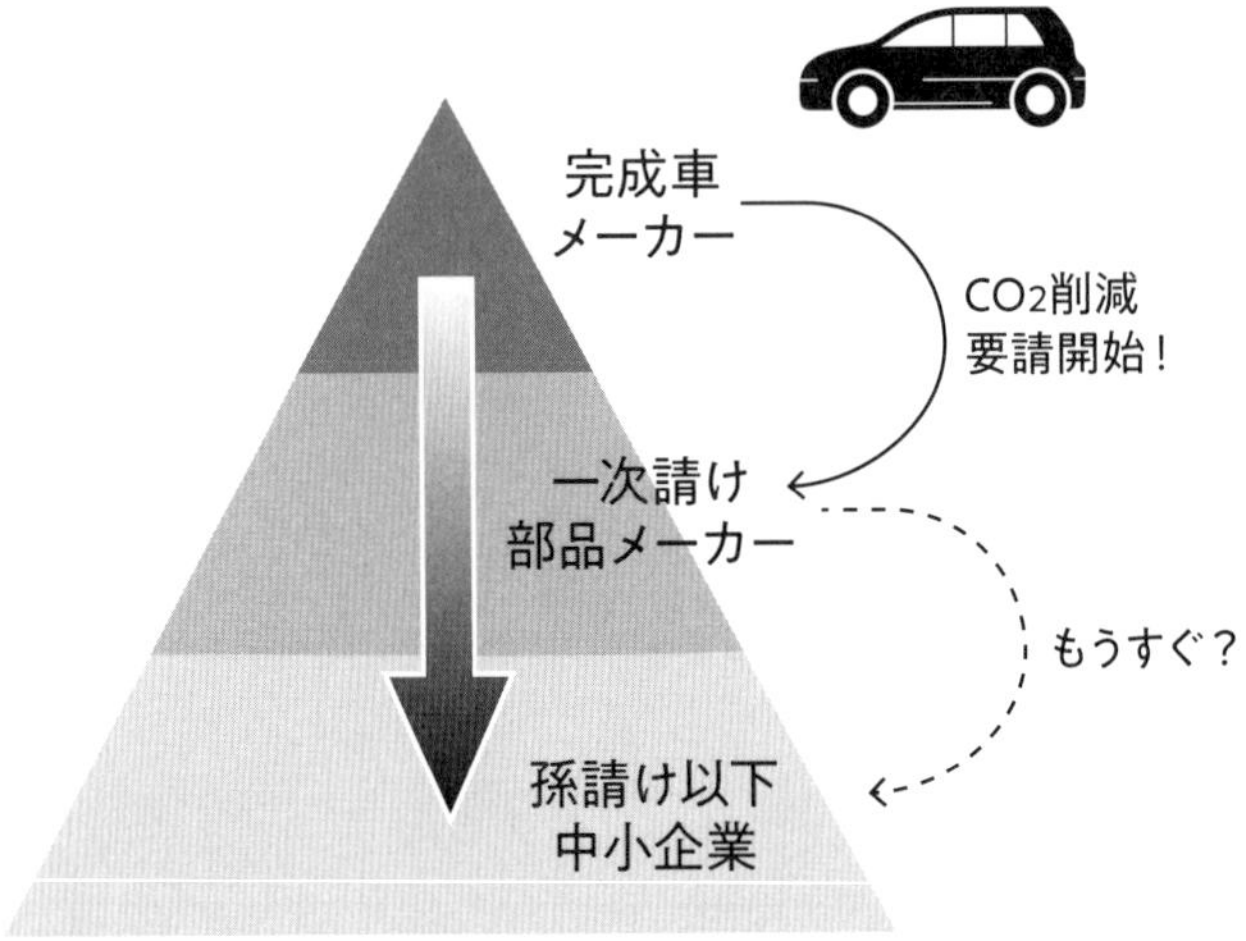

ついても調査を進めています。

トヨタ自動車株式会社の一次取引先である株式会社デンソーなどの大手自動車部品メーカーもカーボンニュートラルに取り組むという宣言をしており、いわゆる二次取引先に対して脱炭素化の支援を本格化しはじめています。具体的には、大手自動車部品メーカーの工場に二次取引先を呼び、工場における脱炭素への対応ノウハウを共有する勉強会を開催したり、生産技術の専門家を仕入先に出向かせてCO_2排出量削減に向けた改善策を共同で考えたりするような取り組みを進めると発表しています。

自動車業界以外でも、同じような形で一次取引先は二次取引先へ、二次取引先は三次取引先へと脱炭素化の取り組みが広がり、中小製造業者にも脱炭素が要請される未来が近づいていています。こうした流れが産業革命以来の大変革として、「ＧＸ革命」と呼ばれる日が来るでしょう。

このようなＧＸ革命によって、これまで安定していた取引先との関係性が脱炭素への取り組み状況で大きく変わる可能性があります。大企業と強固な関係を築いている中堅企業であっても、脱炭素への対応が遅れれば取引が終了する一方、大企業は脱炭素に対応している企業を探しはじめているため、新たな取引先として皆さんの企業が選ばれるかもしれません。小さい企業にとっては、大きい企業に勝つ２５０年に一度の下剋上のチャンスです。

あらゆる商品に加わる新しい価値「カーボン」

ＧＸ革命において最も重要なポイントをお伝えします。

それは、あらゆる商品に「カーボン」という価値が加わることです。

これからはQCD+Cで判断される時代になる

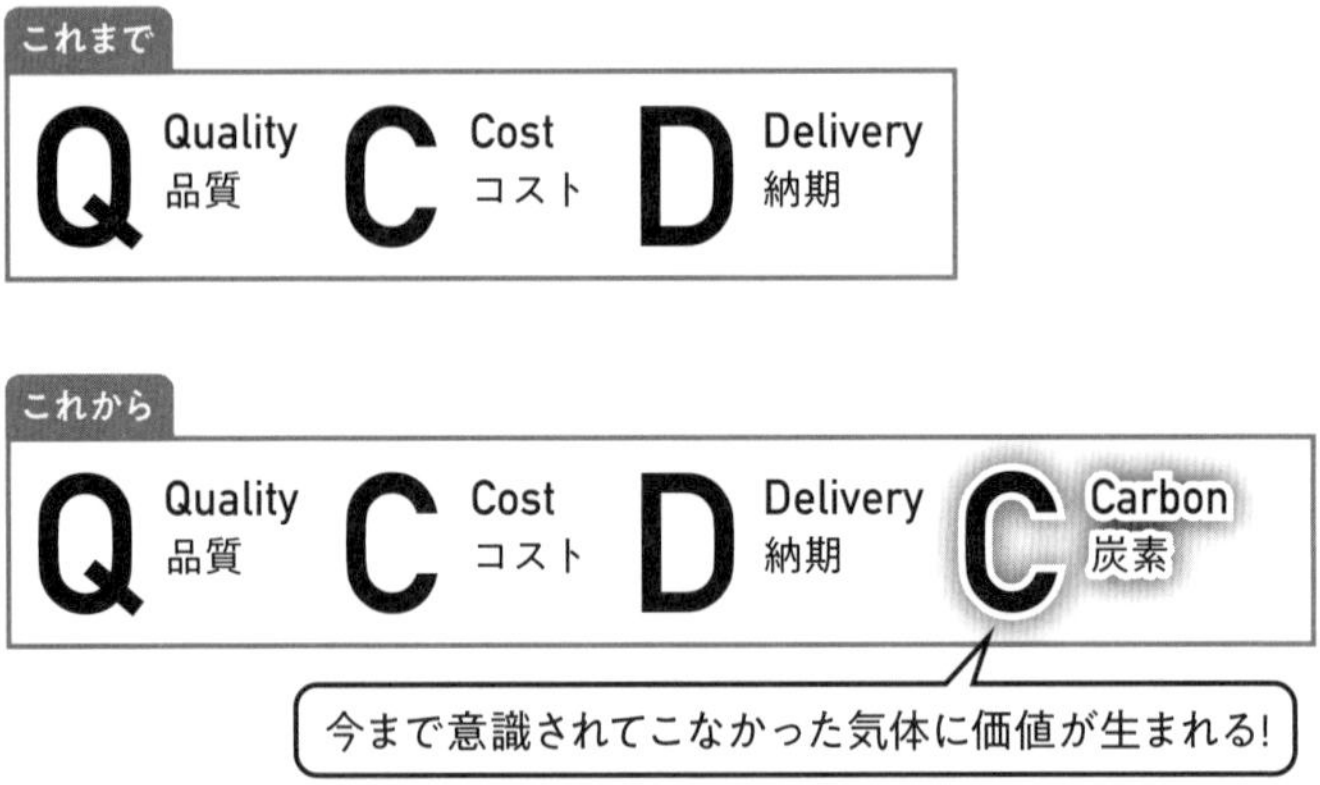

脱炭素を目指す社会では、消費者は低カーボンの製品を購入し、メーカーは低カーボンの原材料を調達し、金融機関はカーボンニュートラルに取り組む企業にお金を貸し出し、政府はカーボンニュートラルに取り組む企業に補助金等で後押しをします。

　これに合わせて、商品価値も大きく変わります。例えば製造業では、品質（Q：Quality）、価格（C：Cost）、納期（D：Delivery）の３つの価値のもとで生産や開発がおこなわれてきました。カーボンニュートラルの社会では、この指標に炭素（C：Carbon）が加わり、ＱＣＤＣの４つの価値で生産や開発がおこなわれるようになります。

この価値転換の大前提として、現在の経済構造ではすべての製品が市場に出るまでに、多かれ少なかれCO_2が発生しているという事実があります。普段はあまり意識していない方が多いと思いますが、例えば高炉の鉄を1トン生成するとCO_2が約2・2トン発生します。製造業においては、中小企業であっても原材料の調達から加工、運搬まで見ていくと、多くのCO_2を排出しており、この炭素（Carbon）とは無関係でいられません。

私たちの経営戦略や商品も、脱炭素社会に適応するため、今までのQCDによる提案から、QCDCに沿った商品価値設計や提案をおこなう形に転換する必要があります。CO_2排出量の価値を管理し、CO_2排出量を削減できるような商品企画や製品設計、製造方法を提案していくことで社会の求める価値を提供する企業になることが可能になります。

2 今始めれば、誰でも先進企業になれるチャンス！

脱炭素に取り組む中小企業は1万社に1社

脱炭素の取り組みを始める大企業が増えている一方で、ほとんどの中小企業は取り組みを始めていません。詳細は後述しますが、最も有名な脱炭素の国際認証にSBT（Science Based Targets）というものがあるのですが、国内中小企業で取得している企業は2023年6月時点で356社しかありません。経済産業省によると、日本の中小企業は2021年6月時点で367万社あるので、1万社に1社しか取り組みができていないということになります。

本格的にカーボンニュートラルに取り組む中小企業はごくわずか

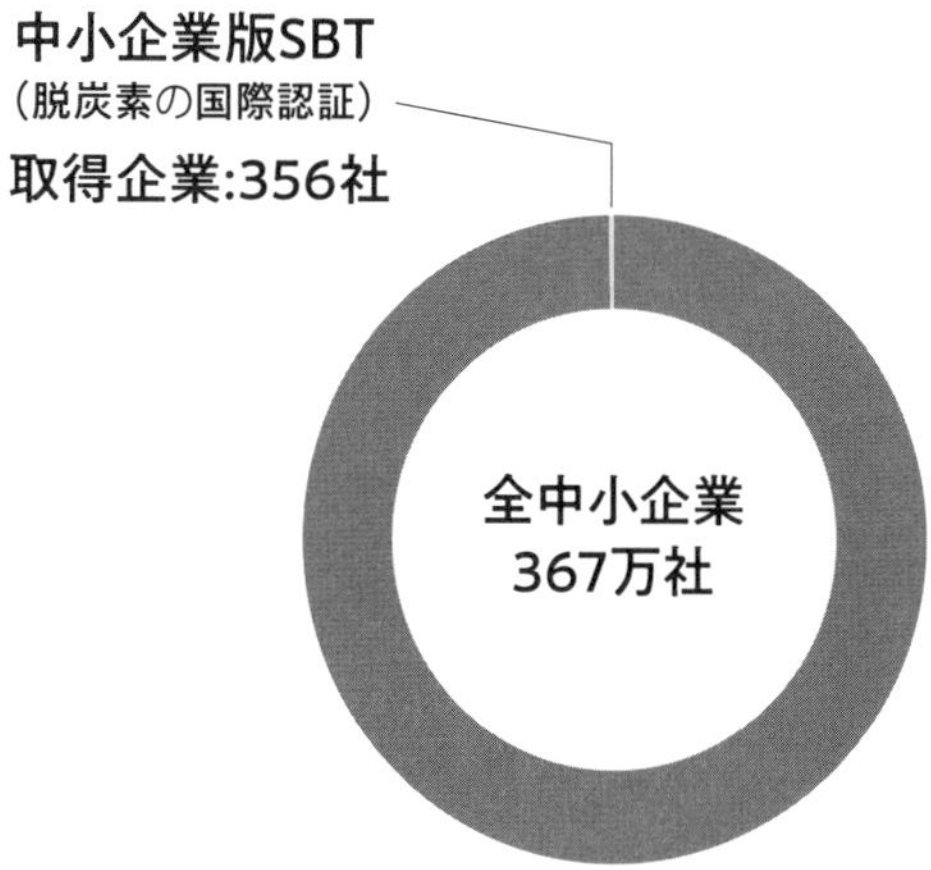

このような数値から、多くの中小企業にとって脱炭素への取り組みはごく初期段階にあるといえます。

中小企業は他社の脱炭素を待っている

中小企業が脱炭素に取り組んでいない主な理由は、やる意義がよくわからないこと、自社への影響度が見えないことです。商工中金の調査によると、カーボンニュートラル進展の影響に対する方策を実施・検討する上での課題について、「規制やルールが決まっていない」「対処方法や他社の取り組み事例などに関する情報が乏しい」と回

カーボンニュートラル進展の影響に対する方策を実施・検討する上での課題

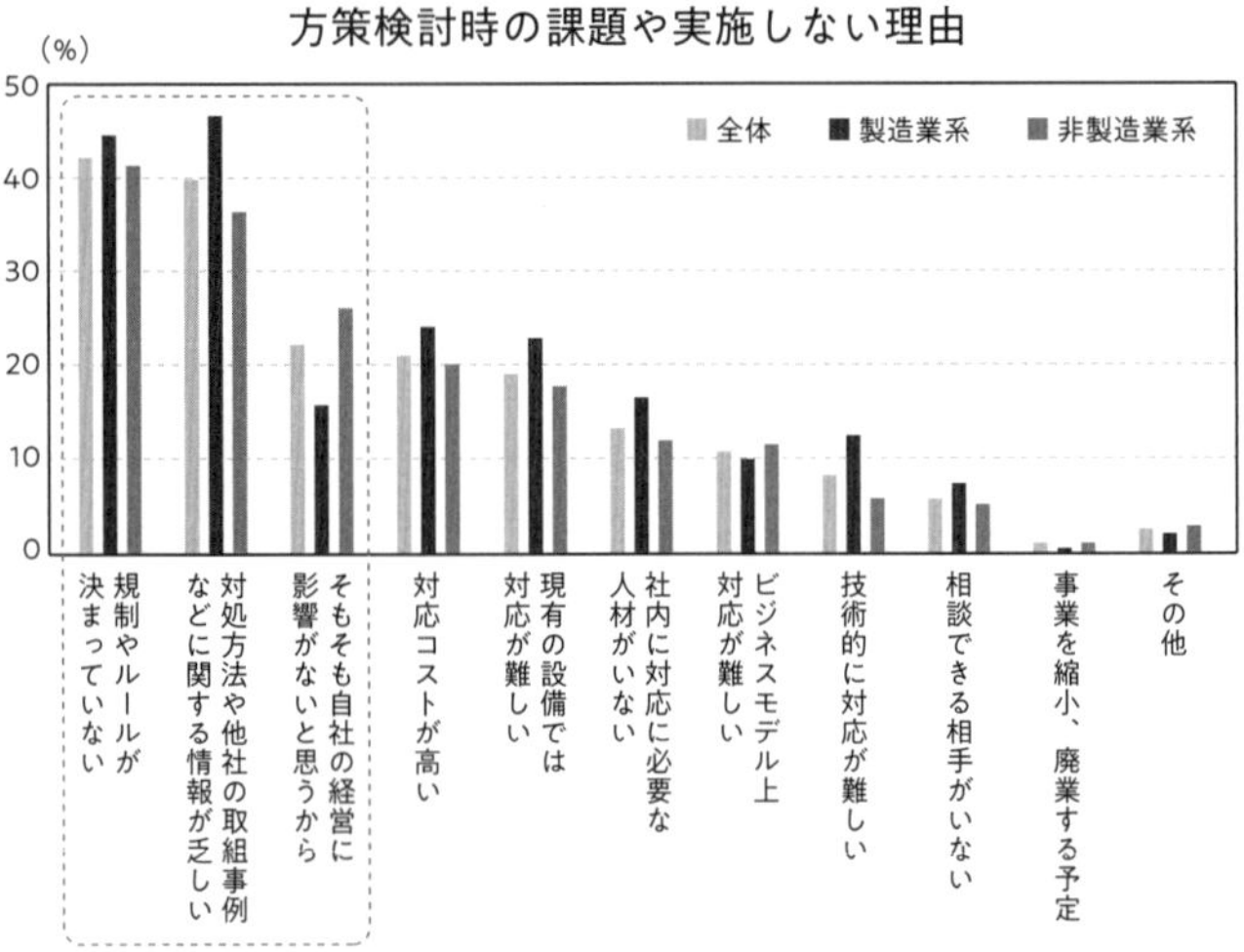

出所：商工中金「中小企業のカーボンニュートラルに関する意識調査」（2021年7月調査）

答した企業が特に多くなっています。

このことから、多くの中小企業は他社のカーボンニュートラルへの取り組みを見てから、自社の取り組みを始めようと考えているようです。

脱炭素の先進企業になれるチャンス！

こうした状況を踏まえると、多くの中小企業が脱炭素に取り組みはじめるまでには、まだ少し時間がかかると思っています。だからこそ、今から動き出

リスクもあるが、早く取り組むほうがメリットが大きい

外部環境のシナリオ

中小企業の選択	世界的に脱炭素が進む	脱炭素ブームが終わる	
脱炭素に取り組む	売上を伸ばす 下剋上達成 ＋＋＋	脱炭素取り組み損 （数百万円のコスト） －	➡ ローリスク ハイリターン
脱炭素に取り組まない	下剋上で敗れる 取引中止 －－－	今までと同じビジネス （脱炭素向けの投資数百万円分損失回避） ＋	➡ ハイリスク ローリターン

▼

競合が少ない今のうちに
先んじて取り組むほうが得！

す企業は確実に先進企業になることができます。

もちろん、脱炭素に取り組むことにもリスクはあります。例えば、世界の脱炭素の潮流を進めているヨーロッパやアメリカの世論がトランプ政権のときのように「脱炭素反対」という風向きに変わると、脱炭素をやろうとしていたことがムダになる可能性もあります。

一方で、中小企業はそもそもCO_2排出量がそこまで大きくないので、脱炭素に対して必要な投資額はさほど大きくありません。脱炭素に取り組まないことで発生する取引停止リスクなど

を考えると、極めて小さいリスクであるともいえます。

脱炭素への取り組みによって、先進企業になれる時間は限られています。おそらく、2026年には多くの中小企業が動きはじめることでしょう。そのときまでに、私たちは社会から求められる脱炭素を価値として提供できる企業へと進化し、QCDCの4つの価値を重視する取引先から選ばれる未来に向けて準備を進めましょう。

3 経営課題の中心にCO_2削減を据えよう

中小企業が脱炭素に取り組む3つのメリット

脱炭素に取り組む中小企業は、次の3つのメリットが期待できます。

1つ目は、取引先から選ばれることです。脱炭素社会では、製品ごとにCO_2排出量が表示されるようになり、消費者がCO_2排出量を気にしながら買い物をするようになります。脱炭素に取り組む企業は、そうでない企業と比べて、低カーボンの製品をつくることができるため、製品の競争力が高まります。また、大企業では消費者や投資家から選ばれるためにサプライチェーン全体の脱炭素を目指す取り組みが進められています。大企業は脱炭素に取り組む企業の中から下請け取引先を選ぶため、新規取引のチャンスが広がるほか、低カーボンを付加価値として提案できるため製品の値上げも期待でき、インフレによる経営ダメージを乗り越えることができます。

２つ目は、若い求職者から選ばれることです。若い世代は、企業の社会貢献度や将来の可能性を重視して就職先を選ぶ傾向が見られます。企業ホームページなどで脱炭素への取り組みを積極的に宣伝することにより、環境意識が高い人からの応募が増える効果が期待できます。中長期的に若者の人口減少が確定している中、少しでも求職者から選ばれる確率を高めることが企業経営にとって重要です。

３つ目は、政府から応援されることです。政府は、脱炭素に取り組む中小企業を後押し

今の時代に特に重要な3つのメリット

①取引先から選ばれる

②若い求職者から選ばれる

③政府から応援される

▼

利益拡大・インフレ克服
人手不足解消

するため、最大1億円が支給される補助金など、さまざまな制度を用意しています。私たち中小企業はこうした制度を活用することで、脱炭素の取り組みを加速させることができます。

CO_2削減は単なる義務ではなく、新たなビジネスチャンスだ

脱炭素への取り組みは、全企業・全人類に求められる社会的な責任になりつつあります。消費者、大企業、政府の取り組みが波及する中で、私たち中小企業も対応が迫られています。

しかし、単なる義務として脱炭素に取り組むのでは、経営への負担が増えるだけで面白くありません。取引先から選ばれるために、経営課題の中心にCO_2削減を据えた「脱炭素経営」へといち早く舵《かじ》を切り、脱炭素をビジネスチャンスととらえることが経営者として重要な判断になります。

消費者は低カーボンの商品を購入し、大企業は脱炭素に取り組む企業を取引先に選ぶことで、脱炭素社会へと進んでいきます。私たち中小企業は、取引先や消費者の要求に応えることで、企業の存続と成長につなげていきましょう。

コラム

産業革命と人口

産業革命より前の時代、世界は低成長・低カーボンの状態にありました。人々の生活は、太陽のエネルギーに依存し、植物の成長や雨の量といった自然環境の制約を受けていました。1000年近くにわたって、世界人口は2億〜3億人にとどまり、ほとんど増加していませんでした。

18世紀末ごろ、5億年前から数億年にわたって降り注いだ太陽エネルギーが化石になった石炭を燃やすことでエネルギーを取り出す技術が開発され、産業革命が始まりました。工業化が進み、大量生産・大量輸送が可能になったほか、化学肥料の出現によって農業の生産性も向上しました。

人々の生活は、石炭などの化石燃料から取り出したエネルギーを活用することで、自然環境の制約はなくなり、経済は急激に成長し、人口も増加しました。その結果、産業革命後の250年で、世界人口は約80億人に増加し、今も経済成長を続けています。このようなことから、経済成長＝人口増加＝エネルギーの利用増加＝CO_2の排出増加という関係性が生まれ、現在も高成長・高カーボンの状態が続いています。

世界人口と世界 CO_2 排出量の関係性

産業革命以前

太陽光、水力、風力などの自然エネルギー

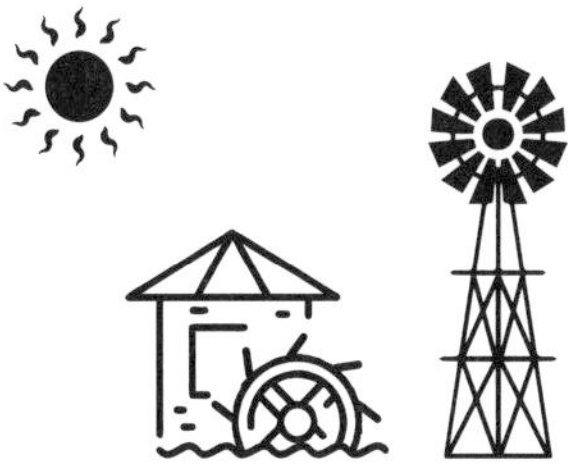

↓

産業革命以降

石炭・石油からエネルギーを取り出し経済成長
→CO_2も同時に排出

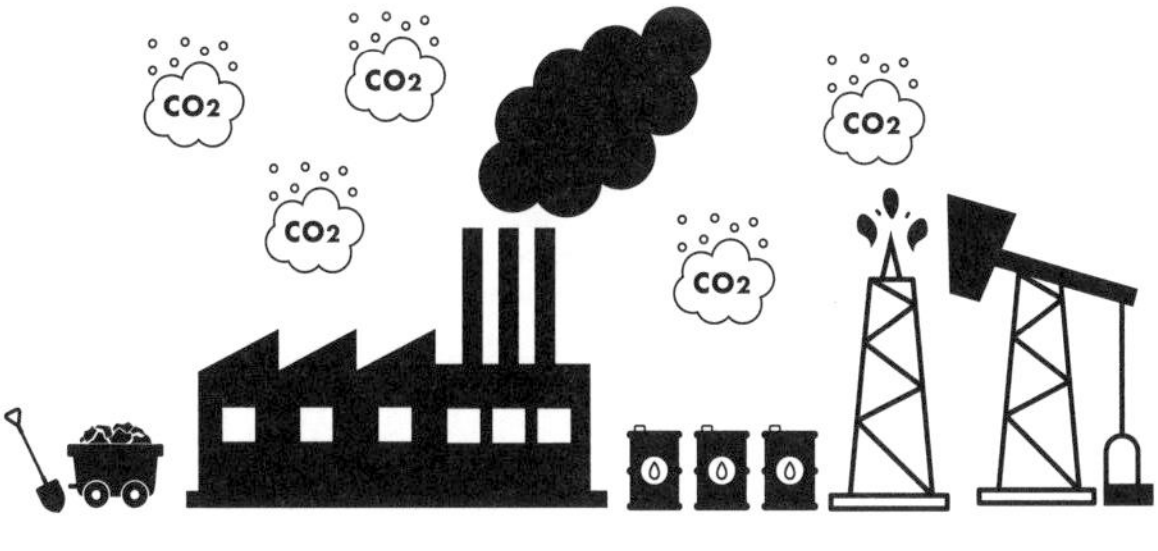

出所：国連人口基金駐日事務所ホームページおよび International Energy Agency CO2 Emissions より執筆者作成

世界人口と世界CO2排出量の関係性

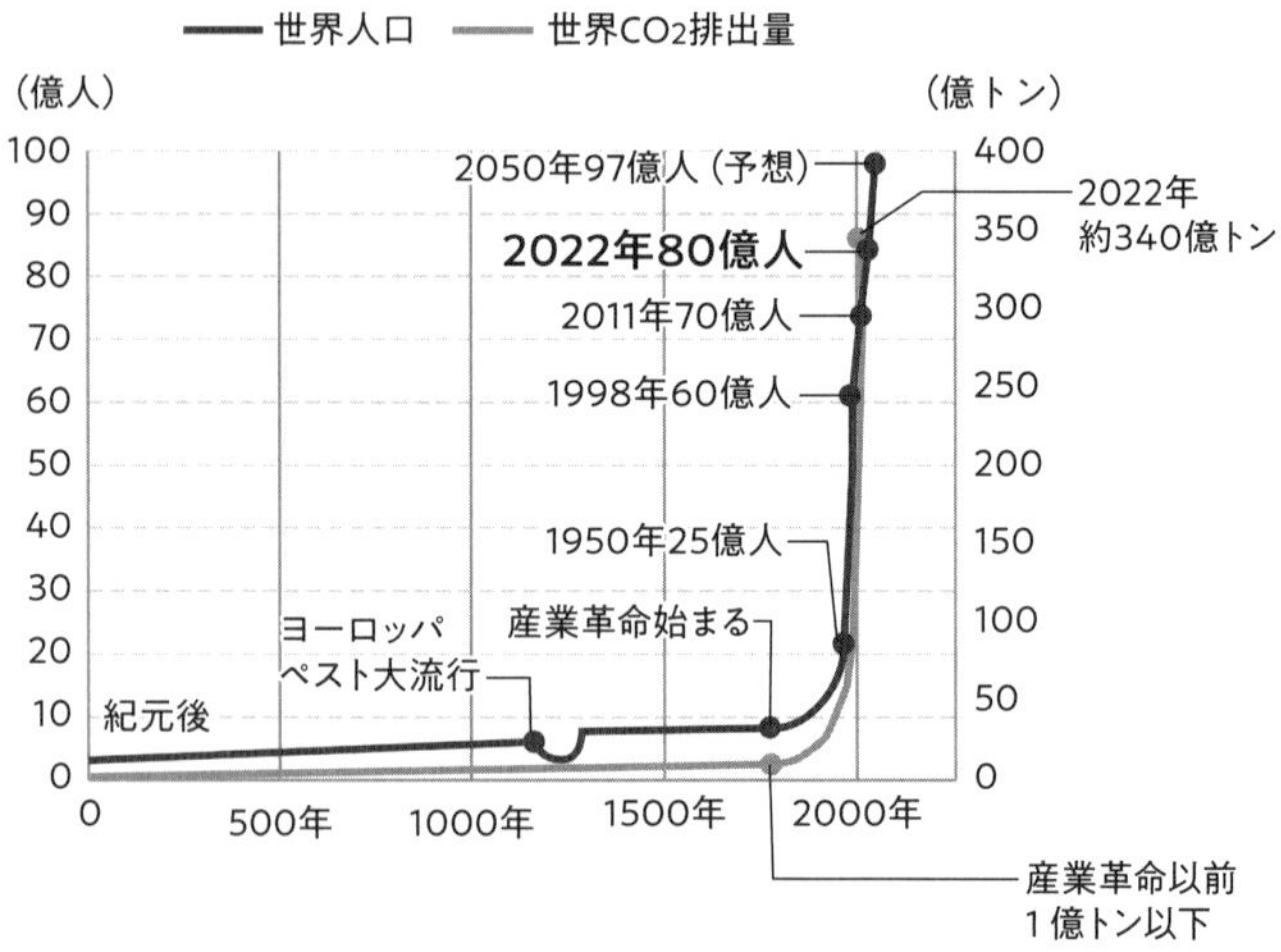

出所：国連人口基金駐日事務所ホームページおよび International Energy Agency CO2 Emissions より執筆者作成

世界人口と世界CO_2排出量の関係性を示すグラフからも、人口増加とCO_2排出量が同じように伸びていることがわかります。そして、人口の増加が経済の成長を推し進めるため、このまま経済が成長を続けると、CO_2排出量も増加してしまいます。

CO_2排出量が増えてきたことによって、温暖化が進み、地球の平均気温が上昇しているといわれています。2023年、日本は観測史上最高の暑さとなりました。今後も温暖化が進むということは、この暑さの記録が更新され続け、もしかしたら将来、2023年は近年で最も涼しい年だったといわれる可能性すらあります。このような気温上昇によって水蒸気の量が増えると、これまで以上に大規模な豪雨や台風が発生し、人々の命に関わる大災害をもたらすともいわれています。2022年から2023年にかけてアメリカやヨーロッパで山火事、ハリケーンなどの災害が多く発生していることが記憶に新しい読者の方も多いかと思います。

一方で、温暖化を防ぐため、私たちが単純に化石燃料の使用をやめると、産業革命前の生活に戻らなければなりません。それは、すべてを手作業でおこない、自給自足の生活を送ることを意味します。

だからこそ、脱炭素は非常に困難な課題であり、人類全体で英知と努力を結集し、経済成長と低CO_2排出量を両立させるGXが産業革命以来の挑戦といわれているのです。

第2章

中小企業にも脱炭素の波がすぐそこに

1 脱炭素は全企業、全人類が避けて通れない

日本が世界に宣言した目標：２０３０年にCO_2排出量46％削減

「我が国は、２０５０年までに、温室効果ガスの排出を全体としてゼロにする、すなわち２０５０年カーボンニュートラル、脱炭素社会の実現を目指すことをここに宣言いたします」

２０２０年、菅義偉首相（当時）はこのように国際社会に発信しました。この２０５０年の目標は新聞やテレビ、インターネットなどでも定期的に取り上げられているので、ご存じの方も多いかと思います。

日本が世界に宣言した国際公約、2030年にCO_2排出量46%削減

日本の公約

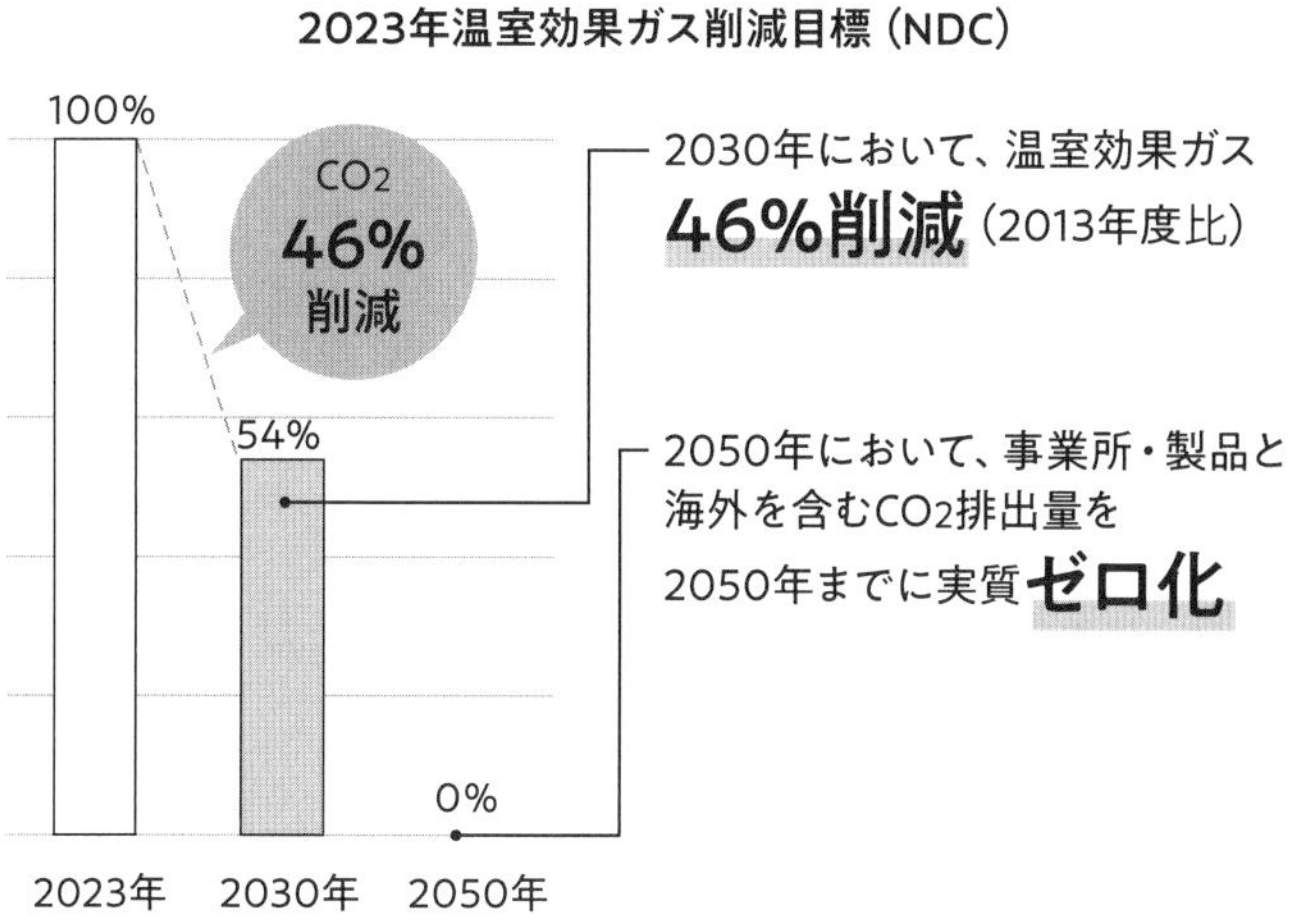

具体的な政策の動向

2023年5月12日　GX推進法　可決
2023年7月28日　GX推進戦略　閣議決定

▼

エネルギーの安定供給と
脱炭素分野での新たな需要・市場創造を目指す

一方で、2030年度までの短期目標もあることをご存じでしょうか。

実は、2021年、同じく菅首相はアメリカ主催の国際会合で、2030年度までに温室効果ガス46%削減という国際公約を掲げているのです。

2050年は遠い未来のように思われますが、2030年はもう目の前です。日本政府は国際公約の実現に向けて2023年7月にGX推進戦略を策定し、今後10年間で150兆円の官民投資をおこなうといったさまざまな施策を実行していきます。

なお、温室効果ガスにはさまざまな種類がありますが、温室効果ガス排出量に占めるCO_2の割合は世界では約76%、日本においては約90%を占めています。そのため、本書では温室効果ガス＝CO_2とします。

脱炭素先進国を目指す日本

なぜ今、脱炭素がそこまで着目されているのでしょうか。その理由は、日本が世界に先駆けて脱炭素先進国になるために、国内企業の投資を促したいからです。

現在、脱炭素推進の動きを受け、各国で既存ビジネスへの規制がつくられたり、新たな産業が生まれたりしています。例えば、ヨーロッパではガソリン車の販売禁止についての

国際的な脱炭素のルールづくりで産業競争にも大きな影響

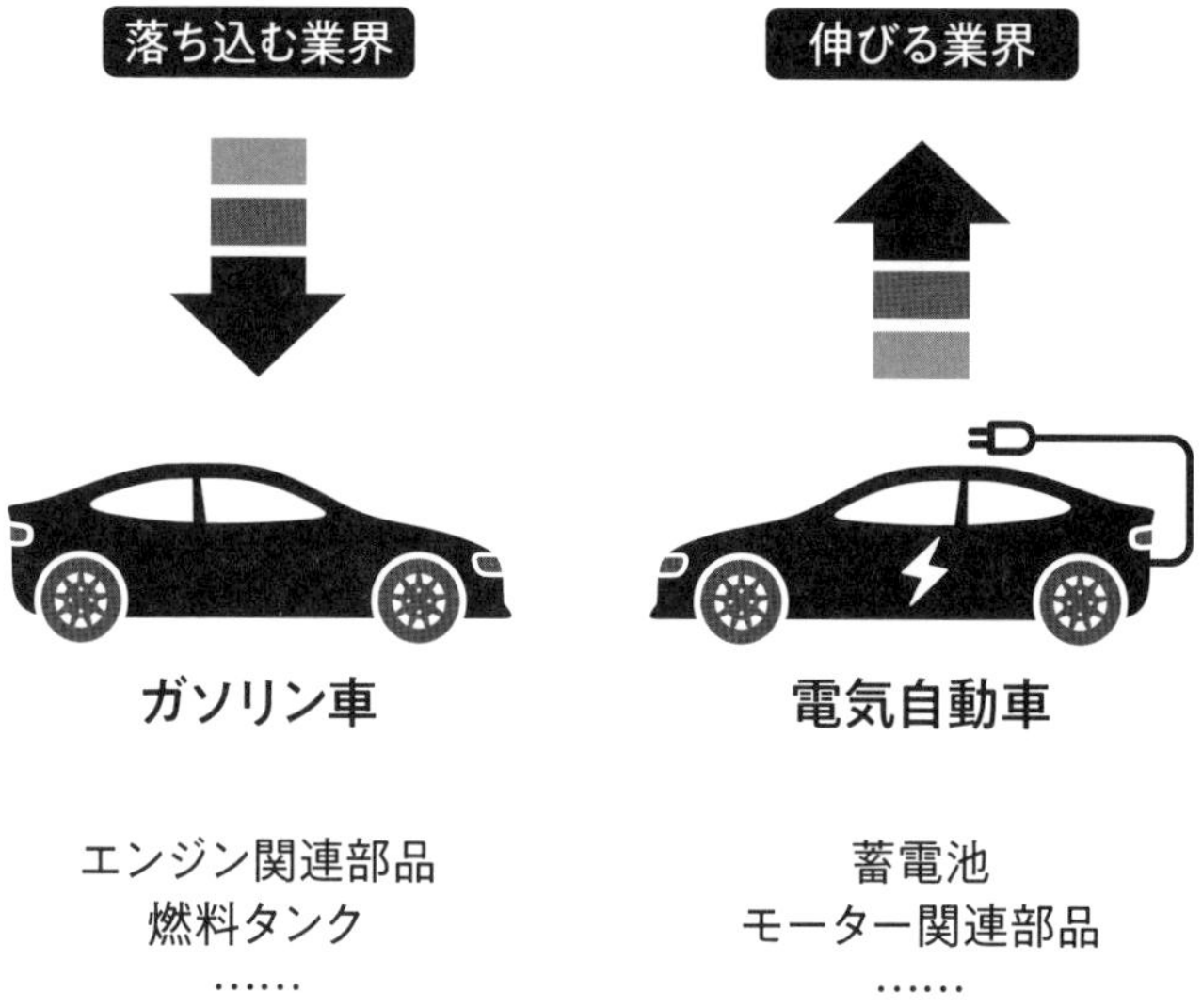

議論が始まり、2035年までにガソリン車の販売を禁止することを決定しています。日本でも2035年までに新車の100%を電動化することを目指すと発表しており、それ以降のガソリン車の新車販売は実質的に禁止となりました。日本はガソリン車に関して世界最高水準の技術を保有していますが、規制により市場が閉ざされてしまってはどうしようもありません。

一方で、経済産業省の資料によると、電気自動車向けの蓄電池世界市場の規模は2019年時点の約4兆円から2050年には約53兆円へと急拡大する見通しです。日本政府は電気自動車・蓄電池を成長産業の1つとして位置づけ、支援していくと発表しています。

自動車業界に限らず、日本の産業界が国際競争に勝っていくためには、国内企業が脱炭素によって生まれる新たな市場やルール形成に適応しなければなりません。もし脱炭素投資がおこなわれなければ、他国の企業に市場を奪われてしまいます。日本政府は国民の環境意識を高め、脱炭素投資を促進することで、日本の産業競争力を再び強化することを狙っています。

CO_2排出量の削減は中小企業の対応も必須

「私たちは本当に2050年カーボンニュートラルを達成できるのか？」

正直なところ、私も2050年カーボンニュートラル達成の可能性については疑念を抱いています。日本国内のCO_2総排出量は全体として減少傾向で、さらに直近のコロナ禍の影響で2021年度には、2013年度比で20％の削減が達成できていますが、実質排出量ゼロまでの道のりはまだ遠い状況です。

CO_2排出量実質ゼロまでの道のりは長い

日本の温室効果ガス排出量推移（億トン）

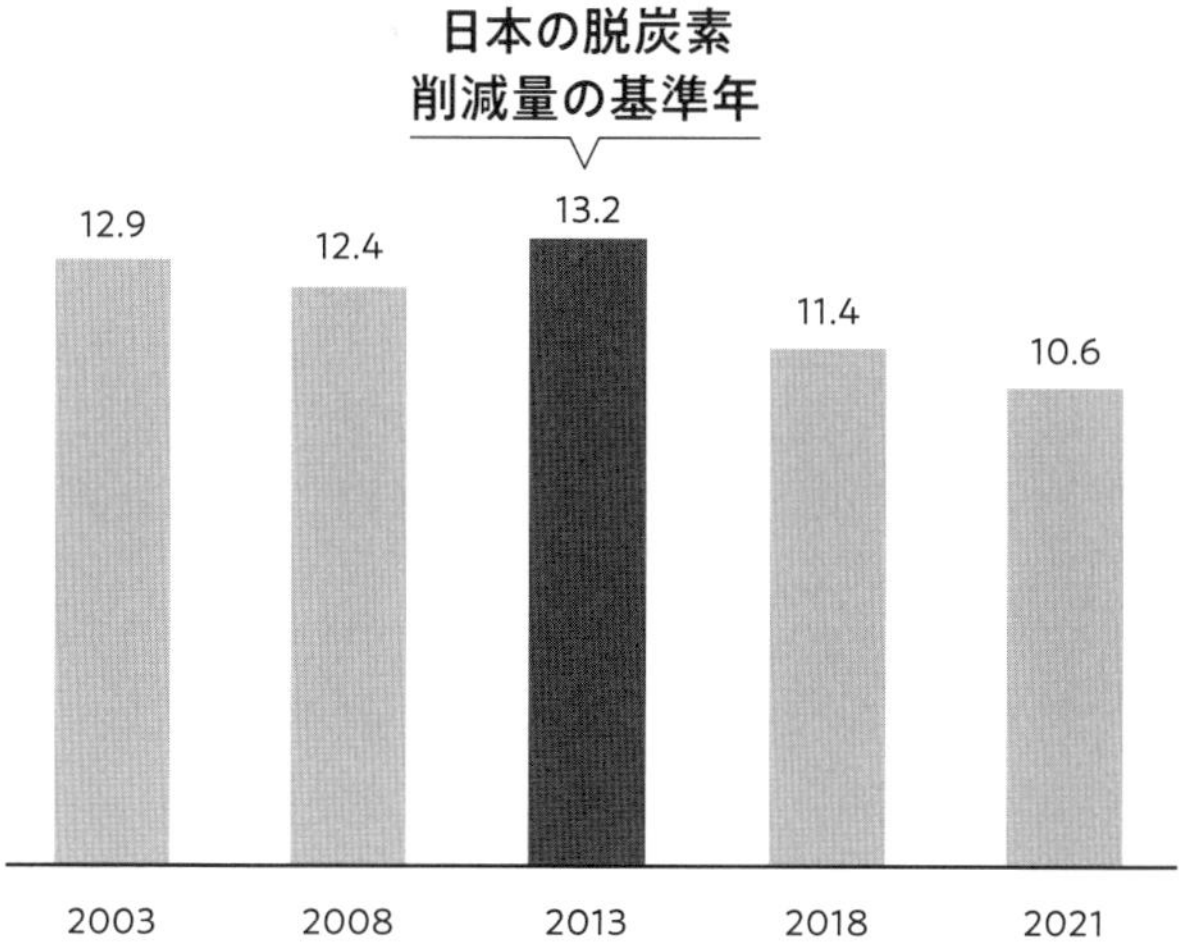

出所：国立環境研究所

また、２０３０年度のCO_2排出量46％削減という目標についても、日本人が一丸となって取り組まなければ達成できません。仮に大企業のCO_2排出量をゼロにできたとしても、全体の約40％の排出量しかないので、家庭部門や中小企業も排出量を削減しないと目標には届きません。中小企業や個人に対して「適度な節電に努めてください」とお願いする程度の対応では目標の達成は困難です。

▌CO_2排出量の削減は、中小企業の対応も必須

日本のGHG排出量（2017年度）

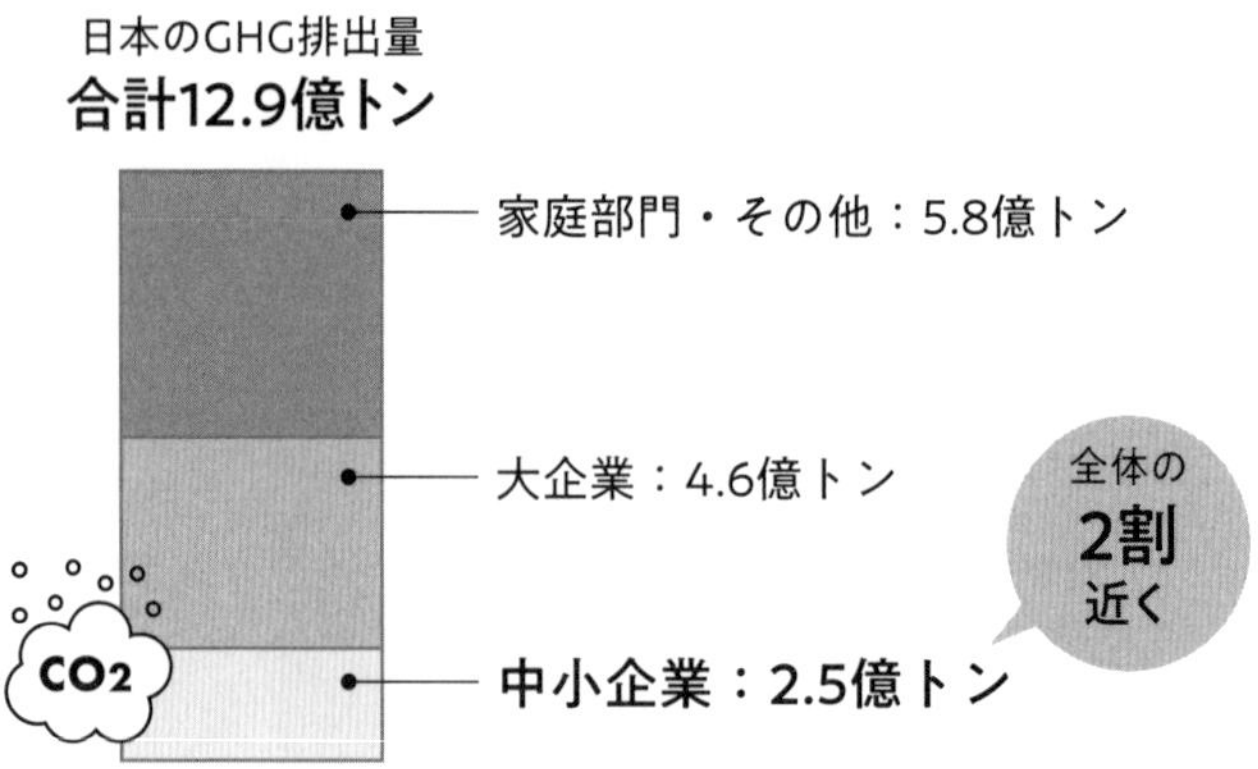

　このようにカーボンニュートラルが困難であることを日本政府も理解しており、先述のＧＸ推進戦略にはあらゆる業界のあらゆる脱炭素施策を盛り込んで対処しようとしています。世の中には「原発を動かせば脱炭素なんてすぐに達成できる」といった発言をされる方もいらっしゃいますが、原発再稼働だけでは現実的な解決策になりません。原子力発電所が54基存在した東日本大震災前の２０１０年時点のエネルギー構成でも、原発によるエネルギーは全体の11・２％しか使用されておらず、原発だけでカーボンニュートラルを

日本の一次エネルギー供給構成の推移

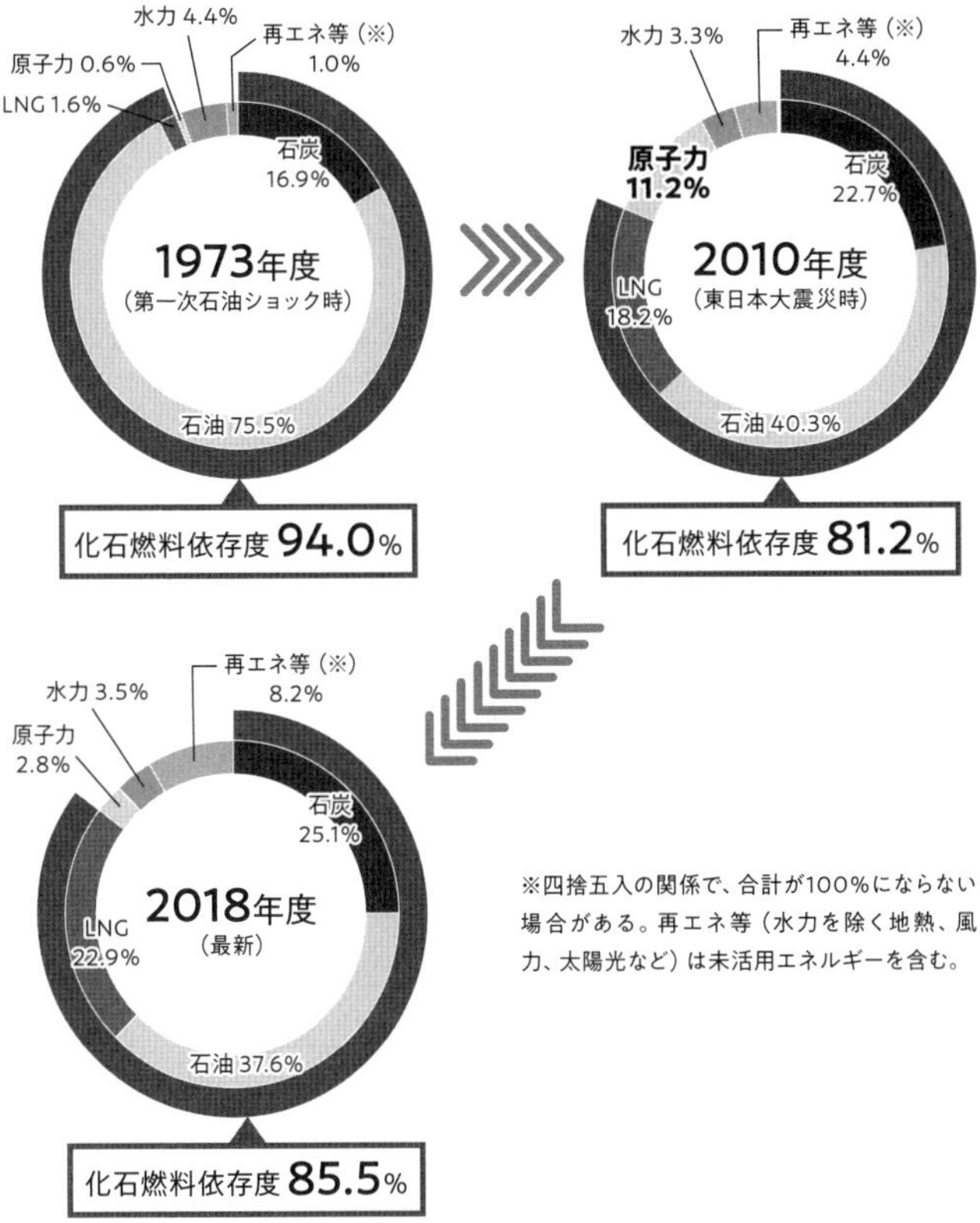

※四捨五入の関係で、合計が100%にならない場合がある。再エネ等（水力を除く地熱、風力、太陽光など）は未活用エネルギーを含む。

出所：資源エネルギー庁「総合エネルギー統計」

達成するには、現在存在する33基の原発をすべて稼働させた上でさらに10倍近い原発を増設する必要があります。原発を１００基単位で新設するなど、現在の日本では絶対に不可能です。

よって「現実的にやれることは全部やる」というスタンスが現実解になります。

このことから、脱炭素の取り組みは、すべての企業、すべての人の参加が必須となります。仮に皆さんの企業が中小企業や零細企業であったとしても、参加しない選択を取ることはできません。

2 グローバルで進む脱炭素の実質義務化

金融市場では脱炭素を意識した投資が始まっている

国際金融機関や投資家というと、お金のことにしか興味がないようなイメージが強いのではないでしょうか。ところが、国際金融機関や投資家は、最も脱炭素に強い関心を持つ組織の1つなのです。これまでの投資家や金融機関は、CO_2排出量に関係なく利益のみを追求し、高い配当や利子が見込める企業に投資をおこなっていました。しかし、最近では、CO_2排出を含む環境を重視しながら中長期で利益を上げる企業へ投資する考え方に変わってきています。このような投資のことをＥＳＧ投資（Environment：環境、Social：

社会、Governance：企業統治に配慮した投資）と呼びます。

世界のESG投資について調査している国際団体によると、2020年の世界の投資総額は98・4兆ドル、そのうちESG投資は35・3兆ドルであり、全体の35・9％を占めています。このESG投資額は2016年時点と比較すると1・5倍程度に伸びており、大きく増えていることが確認できます。

トヨタ自動車株式会社が、ハイブリッド自動車から燃料電池自動車や電気自動車に舵を切りはじめている理由の1つも、大株主たちが環境問題に注目しているからといわれています。上場企業の経営者にとって、自社の株価は重要な評価指標の1つです。脱炭素の取り組みをおこなわなければ機関投資家の投資対象から外れ、株価が下がるという事態が発生するため、環境問題に対処せざるを得ない状況になっているのです。

また、国内に目を向けても環境に配慮した資金調達の仕組みは広がりを見せています。例えば、株式会社滋賀銀行は企業が環境に配慮した事業をおこなっていると、利子などの貸付条件が通常の融資に比べて有利になる貸付サービスを提供しています。このサービスは、2023年7月末時点で73社が利用しています。

今後も脱炭素の機運が高まるにつれて、環境に配慮した事業を展開する企業向けに、長

金融市場ではカーボンニュートラルを意識した投資が始まっている

世界投資総額における ESG 投資の割合

ESG投資：Environment（環境），Social（社会），Governance（企業統治）

GPIF（日本の年金運用機関）のESG指数に連動する運用資産額

出所：GPIFの公表資料を基に、りそなアセットマネジメントが作成

期かつ低金利の融資商品が増えてくると考えられます。中小企業の皆さんも、CO_2排出量の削減やリサイクル率の向上を進めることで、有利な条件で融資を受けられる可能性があります。環境投資向けの融資商品は、取り扱いも含めて金融機関ごとに異なりますので、取引金融機関に相談してみてください。

ヨーロッパ発の国境炭素税が世界の脱炭素を加速させる

世界では、より直接的にCO_2排出に対して課税する動きも出てきています。それがヨーロッパで導入が決まった国境炭素税です。これは、脱炭素に対して厳しい規制をおこなう国の企業と、そうでない国の企業との競争を公平にするため、２０２６年からの導入が予定されています。

国境炭素税とは、脱炭素規制が緩い国の企業からの輸入品に対して、税関で課す炭素税のことです。つまり、脱炭素規制が緩い国（例えば日本）で生産された商品は、厳しい国（例えばドイツ）で生産された商品に比べて、割高な再生エネルギー電力を使わなくていいなどCO_2削減努力が不要な分、安価に生産することができます。このままだと日本で生産したもののほうが価格面で有利になるため、ドイツが日本から商品を輸入する際に、

国境炭素税の仕組み

EUが導入する国境炭素税の仕組み

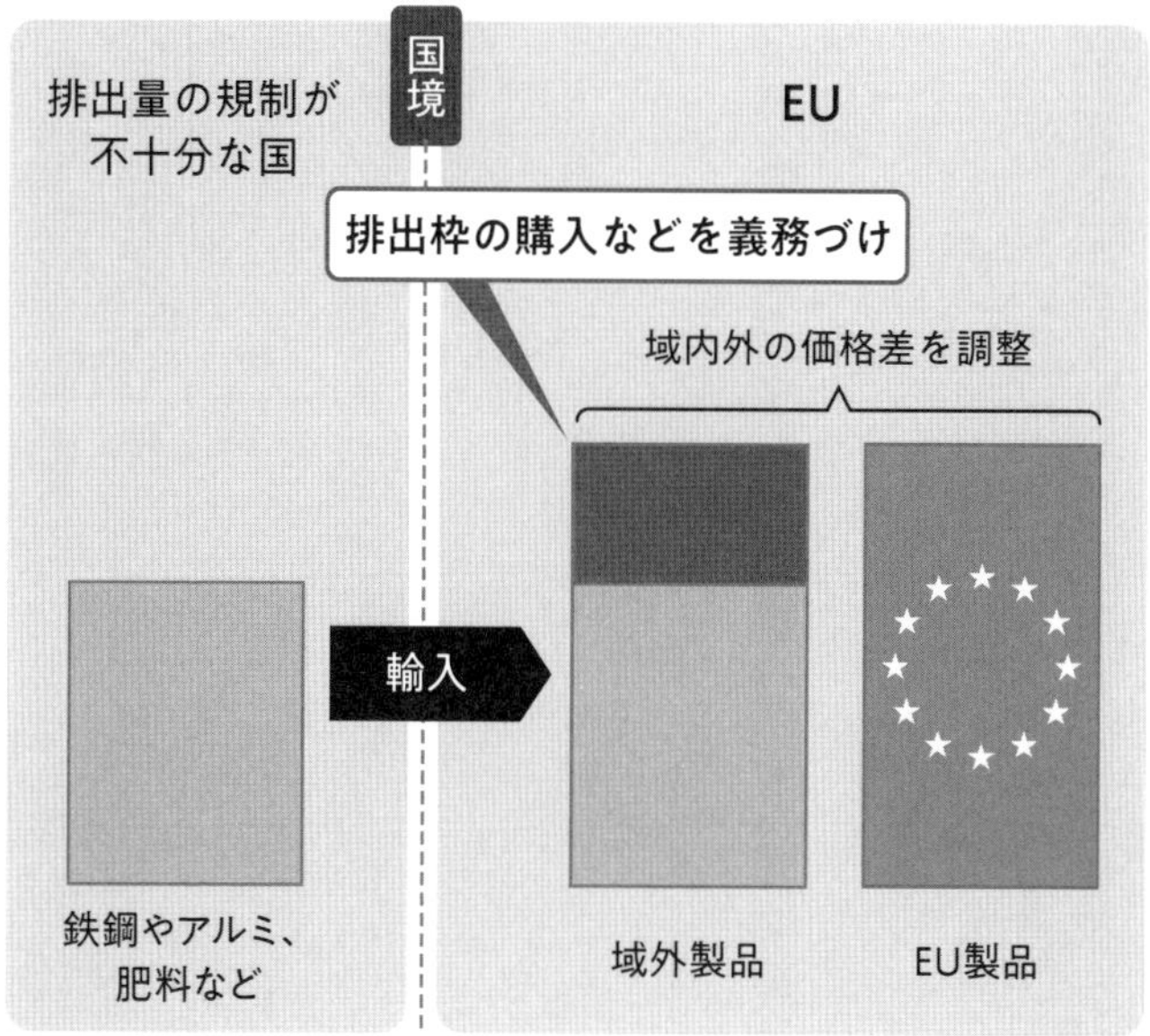

日本の製品に対してCO_2排出量の分だけ課税することで価格競争力を調整するという制度です。

　この国境炭素税は、実質的にはCO_2排出量が多い製品にかかる関税のような制度で、現在、課税対象は鉄鋼、セメント、肥料、アルミニウム、電力の5品目を予定していますが、今後は範囲が広がる可能性もあります。

ヨーロッパが導入を決めた国境炭素税は、日本の税制に対して深刻な影響を与えます。先ほどの例だと、日本政府が何もしなければ、日本の輸出業者がドイツ政府に税を支払うことになり、日本のお金が海外に流出することになります。一方、日本政府が日本国内でドイツ政府と同等の炭素税を徴収する制度にすれば、脱炭素規制の厳しさがドイツと同じになるので国境炭素税はかからなくなります。加えて、輸出業者から徴収した税がドイツ政府ではなく日本政府に渡ることになるので、この炭素税収入を元手に国内企業に補助金を出したり、技術開発に投資したりするほうが日本の国益にかなうことになります。このようなことから、国境炭素税が定着すると、日本のCO_2に対する税制は脱炭素規制が厳しい国の制度に合わせてつくられる可能性が高くなります。

ヨーロッパのバッテリー業界では脱炭素規制が始まった

国境炭素税のほかにもヨーロッパは脱炭素規制を強めています。中でも、電気自動車向けのバッテリーに関する取り組みが進んでおり、2024年には規制が開始されます。

具体的には、2024年にカーボンフットプリントの申告義務化、2027年にカーボンフットプリントのCO_2排出量上限値の導入が予定されています。この規制によって、

カーボンフットプリントのイメージ

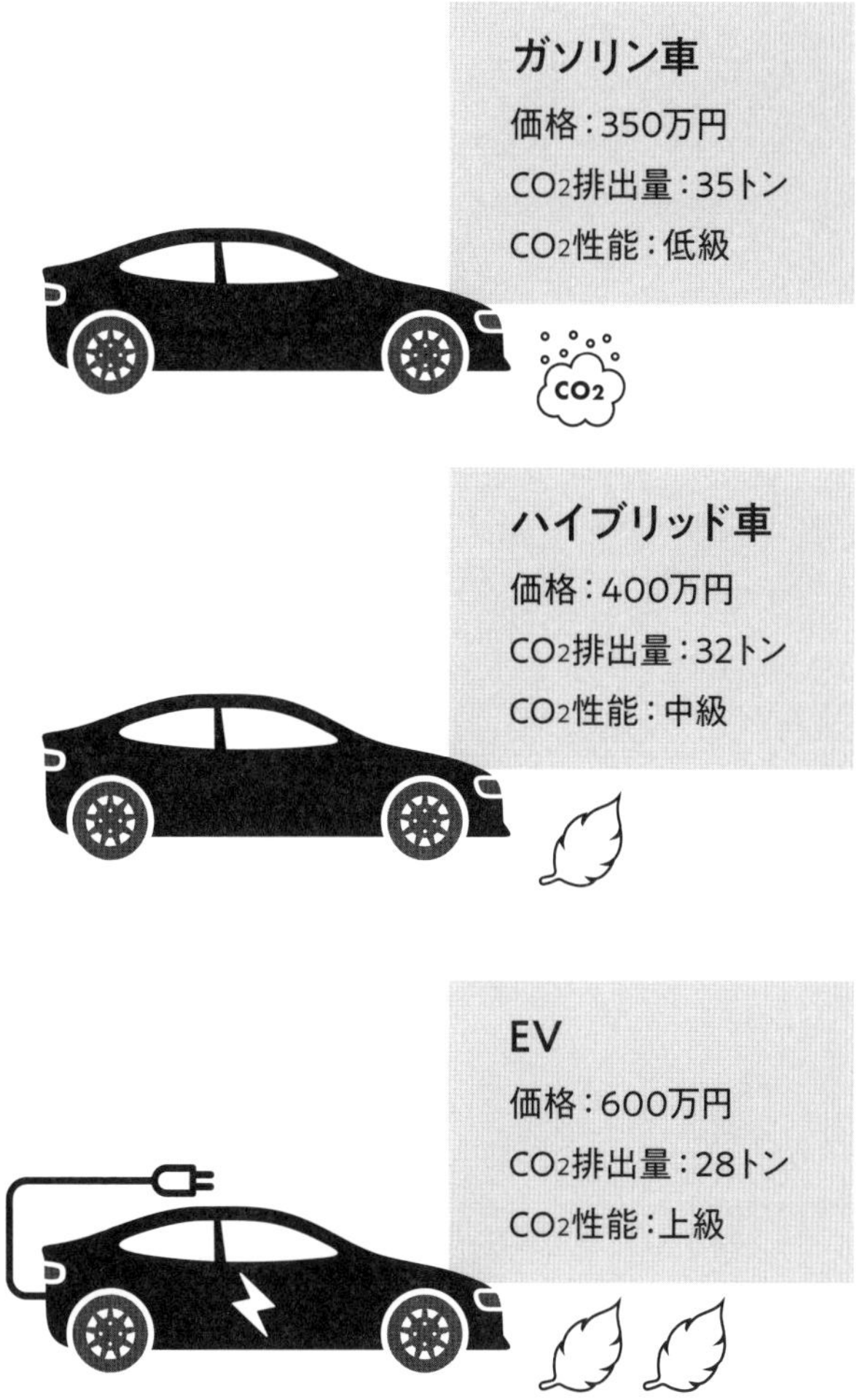

ヨーロッパにバッテリーを輸出する日本のバッテリーメーカーを含め、世界の各企業は対応を求められています。

カーボンフットプリントとは、製品の原材料調達から廃棄・リサイクルに至るまで、一連の過程で排出されるCO_2排出量を表示する仕組みのことです。トヨタ自動車株式会社のプリウスの例で説明すると、原材料の鉄鉱石の採掘から部品の生産、車両の製造、運転によるガソリン消費、廃棄まで、プリウス1台がこの世に生まれてから廃車するまでにかかるCO_2について「1台あたりCO_2○○トン」と値札の隣に表示されるようなイメージです。

本書は、このカーボンフットプリントの算定および表示を書籍の裏面に記載しました。商用出版のビジネス書として、おそらく日本初の取り組みで、裏表紙に大きく表示しています。具体的な算定方法については本書の末尾に詳しく記載しています。今後、このような表示がさまざまな商品にも適用されていく予定です。

2024年にカーボンフットプリントの表示が義務化されると、ヨーロッパ市場でCO_2排出量を表示していないバッテリーを販売することができなくなります。バッテリーメーカーが製品単位でCO_2排出量を表示するためには、製鉄事業者からバッテリー利用先の自動車メーカー、スクラップ業者まで、サプライチェーンに関わるすべての企業がそれぞれどの程度のCO_2を排出しているかを算出し、情報共有する必要があります。サプライチェーンの中で1社でも自社のCO_2排出量を把握できていない企業がいる場合、正確なバッテリーのCO_2排出量を算出することができません。そうなると、バッテリーメーカーは、ヨーロッパのバッテリー市場から追い出されるわけにはいかないので、CO_2排出量を開示できない企業とは取引を終了し、その代わりにCO_2排出量を開示できる企業と取引を始めることになります。

また、2027年からカーボンフットプリントのCO_2排出量上限が規制されると、「製品あたり○○トン以上のCO_2を排出しているバッテリーは輸入禁止」となるのでCO_2排出量が多いものは市場から排除されます。ヨーロッパ市場で戦っているバッテリーメーカーの取引先は、自社のCO_2排出量を把握していることはもちろんのこと、CO_2排出量が他社より少ないことが選ばれる条件になります。ここまで脱炭素規制が進むと、バッテリーメーカーやそのサプライチェーンに関わるすべての企業は、CO_2排出量の削減活動に取り組まなければなりません。これは、実質的な脱炭素の取り組みの義務化です。

このようなヨーロッパのバッテリー規制を受け、経済産業省は自動車メーカーや電池

バッテリー業界は2024年から CO_2 排出量報告が実質義務化

対象商品：欧州向け EV バッテリー、産業用充電池

2024年7月1日～
カーボンフットプリント（製造~廃棄までにかかるCO_2総排出量）の申告

2026年1月1日～
CO_2排出量に関する**性能クラスの分類表示**

2027年7月1日～
カーボンフットプリントの**上限値の導入**

▼

他の分野にも拡大していく？

メーカー、部材メーカーなど約50社の参加企業とともに、カーボンフットプリント計算の実証実験を進めています。また、日本政府はいくつかの補助金でカーボンフットプリントを報告することを要件にしたり、カーボンフットプリントに対応した電気自動車の購入に対して補助金を出すような制度を検討したりすることで、ヨーロッパの規制に日本国内企業がスムーズに対応できるよう後押しをしています。

ヨーロッパのバッテリー規則が全世界に波及する

ヨーロッパは世界で最も環境意識の高い地域であり、脱炭素社会に向けて最先端を進んでいます。バッテリー業界の脱炭素規制が計画通りに進めば、あらゆる業界にカーボンフットプリントの表示義務や上限値規制が広がっていくことでしょう。

日本でも、ヨーロッパのバッテリー規則と同じように、CO_2排出量の多い業界から脱炭素規制が入るものと予想しています。日本の電力業界、運輸業界を除いた産業部門において最もCO_2を排出している業界は鋼材などをつくる鉄鋼業で、産業部門の約4割を占めています。次いでプラスチックなどをつくる化学工業、自動車や電子デバイス、工作機械などの機械製造業と続き、この三業種で日本の産業部門におけるCO_2排出量の約65%を占めています。これらの業界ではCO_2排出量の削減に取り組んだときに大きな効果が期待できるため、早期に脱炭素規制が入ることが考えられます。

皆さんがこれらの業界と取引している場合には、すぐにでも脱炭素の取り組みを始めるべきです。脱炭素規制が入ってから取り組むのと、今から先に取り組むのとでは、取引先から見たときの印象や評価が大きく変わります。

産業部門のCO_2排出量

電気・熱分配後排出量

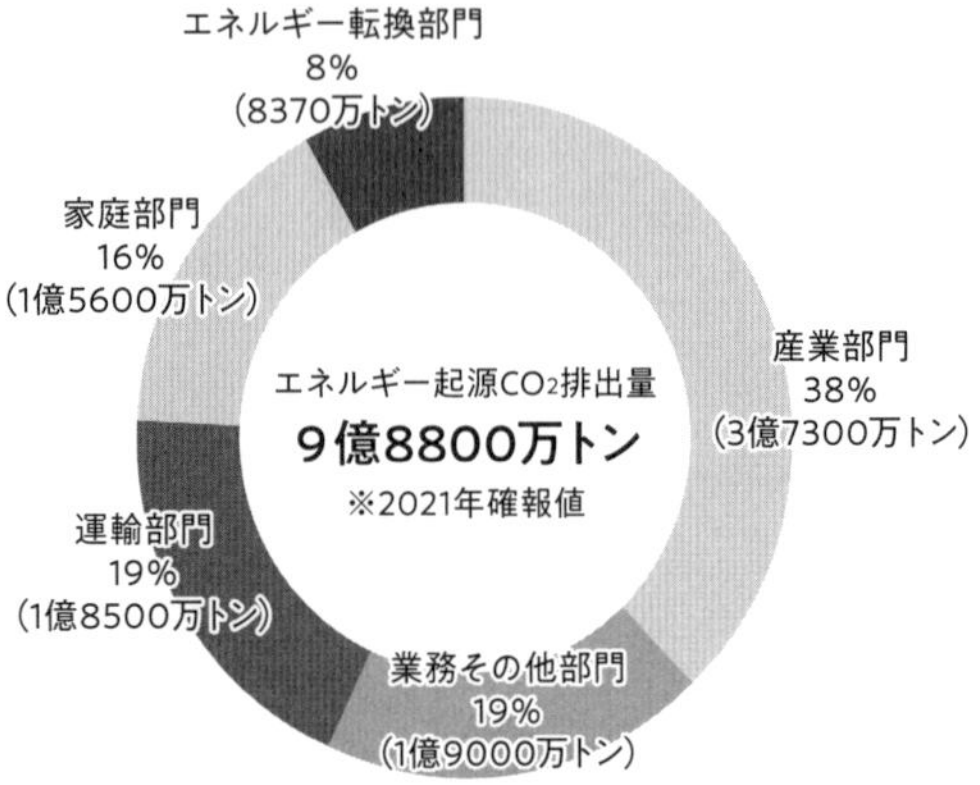

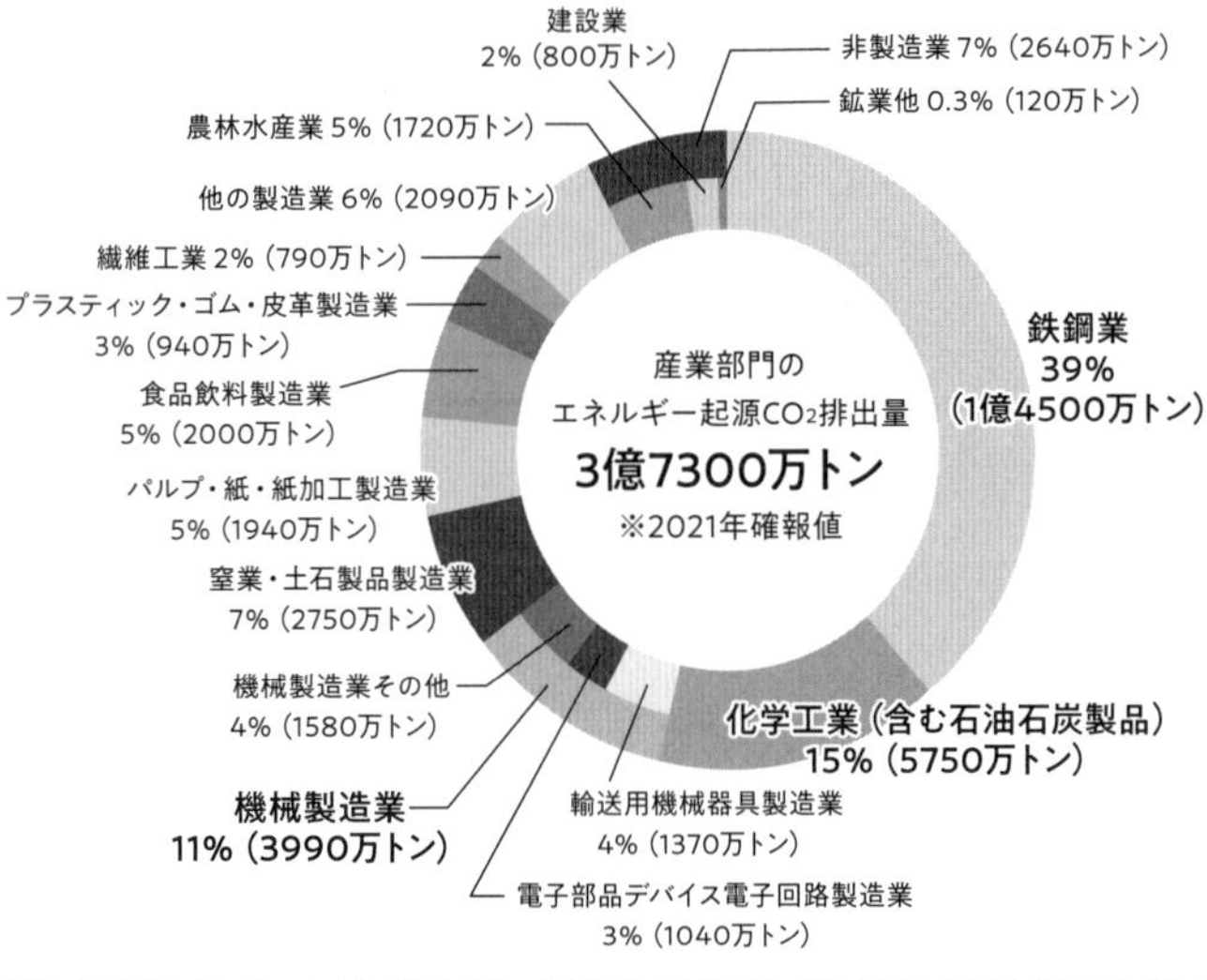

出所：温室効果ガスインベントリを基に作成　※四捨五入の関係で、合計が100%にならない場合がある。

3 100兆円単位の投資でカーボンニュートラルを進める日本の本気

150兆円の官民投資とGX経済移行債20兆円

これまで見てきたように、ヨーロッパを中心に脱炭素規制が進んでいますが、日本でも本格的に脱炭素を進めるための政策が決定しています。GX推進戦略と呼ばれる政策で、再生エネルギー開発や原子力活用による電力の安定確保と150兆円の官民投資が目玉施策となっています。

皆さんにとっては150兆円の官民投資が特に重要で、自動車産業を筆頭にあらゆる産業に対してカーボンニュートラルを進めるための技術・設備投資をおこなっていくものと

官民で150兆円超の投資

分野	官民投資額※	CO_2排出削減量（10年間）※
自動車産業	34兆円~	2億トン
再エネ	20兆円~	-
住宅・建築物	14兆円~	2億トン
脱炭素のためのデジタル	12兆円~	6.4億トン
次世代ネット ワーク	11兆円~	-
水素・アンモニア	7兆円~	0.6億トン
蓄電池	7兆円~	0.7億トン
航空機産業	5兆円~	-
CCS	4兆円~	0.5億トン
鉄鋼業	3兆円~	3億トン

……その他9分野　※一部重複あり

なります。政府は具体的な投資額の内訳や投資によるＣＯ$_2$削減効果の試算を公表していますが、この中で重要なのが１５０兆円の投資に対するＣＯ$_2$削減効果が10年間累計で20億トン、平均すると年間２億トンにしかならないということです。２０１７年、コロナ禍前の日本の年間ＣＯ$_2$総排出量が13億トン程度なので、これだけの投資をおこなったとしても、本施策単体ではカーボンニュートラルはおろか、２０３０年目標のＣＯ$_2$排出量46％削減にも届かないということを意味しています。いかに脱炭素が難易度の高い問題かがわかります。

話を官民投資に戻すと、日本政府がCO_2排出量の削減に向けた官民投資をおこなっていくと決めたものの、まだ多くの民間企業は「何かいわれたらやる」といった姿勢で、積極的な投資は期待できません。そこで政府は2023年度から10年間で20兆円規模、すなわち毎年約2兆円のGX経済移行債を発行し、補助金などの形で民間企業のGX投資を支援することを決めました。中小企業のCO_2排出量の割合は日本全体の約2割を占めるので、このGX投資支援のうち、少なくとも毎年4000億円程度は中小企業向けに使われる見込みです。

具体的な中小企業向けの支援策は、CO_2排出量を把握するためのITツール導入補助金や、CO_2排出量を削減するための省エネ補助金、ものづくり補助金、事業再構築補助金などを掲げています。

CO_2価格が1トン1万円の価値になる日も近い？

「政府が何かやろうとしていることはわかったし、補助金が出るのもありがたい。でも、CO_2排出量削減活動そのものは金になるのか？」

このような感想を持たれている方もおられるのではないでしょうか。このような疑問に対して、世界的に検討されている炭素税（CO_2排出量に対してかかる税金）の動向を見ることで、近い将来を予測することができます。

そもそも、実は日本ですでに炭素税が導入されているということをご存じでしょうか。日本は2012年10月に地球温暖化対策税という名前で炭素税を導入しており、石油などの輸入事業者などからCO_2排出量1トンあたり289円の税を徴収しています。現在はそこまで大きな額が徴収されているわけではありませんが、今後、炭素賦課金という名前で新たに炭素税が課されることが決まっています。この炭素賦課金は、先ほど説明した20兆円のGX経済移行債の返還を目的とする賦課金（実質はほぼ税ですが、法律上の扱いが少し異なるので賦課金と呼ばれています）で、CO_2排出量1トンあたりにいくらという形で石油などの輸入事業者などに課される予定となっています。一般事業者は、この賦課金を石油価格に上乗せされた形で石油製品を購入するので、間接的に賦課金を負担することになります。

この炭素賦課金の税率は、国際機関による提言や他国の炭素税を参考に検討が進められています。国際エネルギー機関（IEA）では、2025年にCO_2排出量1トンあたり約9000円、2040年にCO_2排出量1トンあたり約2万円の炭素税を徴収する必要があるという見解を示しています。

また、ヨーロッパのCO_2排出量1トンあたりの価格は、一番高いスイスで約1万6000円となっています。先ほどご説明した通り、ヨーロッパで国境炭素税が導入された場合、日本政府が何もしないと、日本の企業からヨーロッパの国にお金が流れるため､日本の炭素価格がヨーロッパの炭素価格まで引き上がる可能性は十分に考えられます。

このような状況を踏まえ、私は日本でも2030年までにCO_2排出量1トンあたり1万円の炭素税が課せられるのではないかと予想しています。見方を変えれば、2030年までにCO_2が1トンあたり1万円の価値になる日がやって来ます。高炉由来の鉄板1トンを生産するのにCO_2が2・2トン発生します。CO_2に価値がついた世界では、鉄板1トンあたり2万円以上値上がりするような計算になります。また、電気でいうと、全国平均で1キロワットアワーあたり434グラムのCO_2が排出されています。1トン1万円の時代には、1キロワットアワーあたり4円強の値上げということで、10%以上のコスト増になります。同じようにガソリン代で計算すると、およそ1リットルあたり25円の負担増となります。専門機関の予測によってはCO_2排出量1トンあたり数万円以上になるとの見方もあることから、経営への影響が無視できない大きさです。

CO_2価格が1トン1万円の価値になる日も近い?

2018年時点の実行炭素価格（円/トンCO_2）

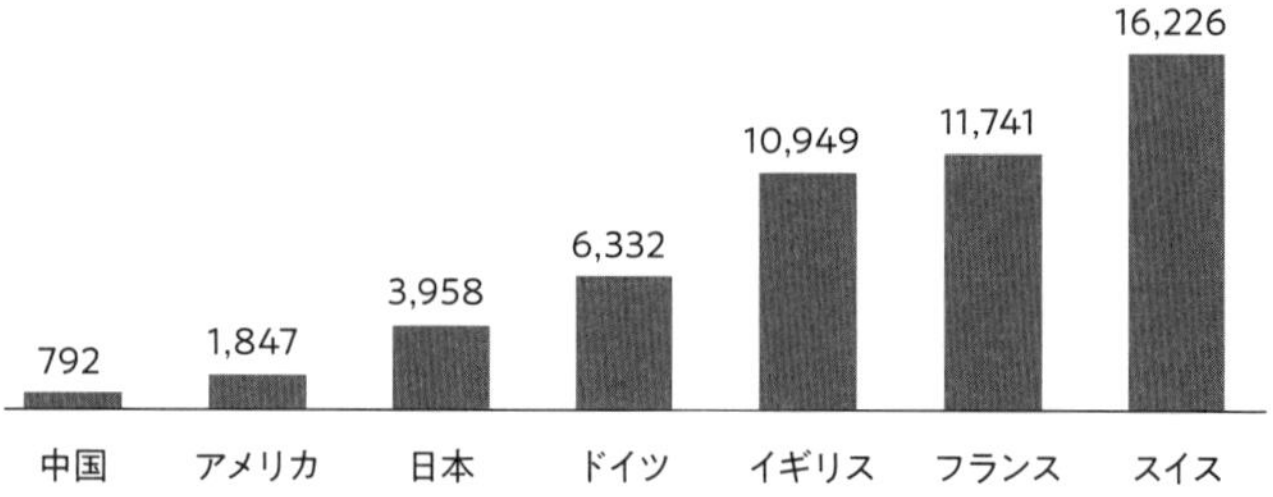

※実効炭素価格：炭素税、排出量取引制度による炭素価格、エネルギー課税を合計したもの
2018年の平均円ユーロ相場から円換算

2050年炭素価格の将来予想※

分析機関	トンあたり炭素価格予想
IPCC（国際専門機関）	約 200~1000 ドル
マッキンゼー（コンサル）	約 36 ドル
日本エネルギー経済研究所	炭素税：約 14~42 ドル 排出権取引：約 83~131 ドル

※出所：経済産業省（わかりやすさを重視し、各種用語を筆者が編集）

4 脱炭素を新たな成長の機会へ

経済効果は290兆円、雇用創出効果は1800万人

脱炭素を進める日本政府の本気は、100兆円単位の投資だけにとどまりません。経済産業省は、経済と環境の好循環をつくり出すため、太陽光発電や水素など2050年に向けて成長が期待される14の重点産業分野を選定しました。これらの重点分野では、分野別に2050年までの中長期にわたる事業化の工程表を作成し、技術開発や足元の設備投資を支援することによって国際競争力を強化していきます。この取り組みでは、2050年に、約290兆円の経済効果と約1800万人の雇用創出効果を見込んでいます。

カーボンニュートラル達成による経済効果は290兆円、雇用創出効果は1800万人

2050年に向けて成長が期待される、14の重点分野を選定

1 洋上風力 太陽光、地熱
- 2040年、3000万〜4500万kwの案件形成【洋上風力】
- 2030年、次世代型で14円/kwhを視野【太陽光】

2 水素・燃料アンモニア
- 2050年、2000万トン程度の導入【水素】
- 東南アジアの5000億円市場【燃料アンモニア】

3 次世代熱エネルギー
- 2050年、既存インフラに合成メタンを90%注入

4 原子力
- 2030年、高温ガス炉のカーボンフリー水素製造技術を確立

5 自動車・蓄電池
- 2035年、乗用車の新車販売で電動車100%

6 半導体・情報通信
- 2040年、半導体・情報通信産業のカーボンニュートラル化

7 船舶
- 2028年よりも前倒しでゼロエミッション船の商業運航実現

8 物流・人流・土木インフラ
- 2050年、カーボンニュートラルポートによる港湾や、建設施工等における脱炭素化を実現

9 食料・農林水産業
- 2050年、農林水産業における化石燃料起源のCO_2ゼロエミッション化を実現

10 航空機
- 2030年以降、電池などのコア技術を段階的に技術搭載

11 カーボンリサイクル・マテリアル
- 2050年、人工光合成プラを既製品並み【カーボンリサイクル】
- ゼロカーボン・スチールを実現【マテリアル】

12 住宅・建築物・次世代電力マネジメント
- 2030年、新築住宅・建築物の平均でZEH・ZEB【住宅・建築物】※

13 資源循環関連
- 2030年、バイオマスプラスチックを約200万トン導入

14 ライフスタイル関連
- 2050年、カーボンニュートラル、かつレジリエントで快適な暮らし

※ZEH（net Zero Emission House）：家庭で使用するエネルギーと、太陽光発電などでつくるエネルギーをバランスして、1年間で消費するエネルギーの量を実質的にゼロ以下にする家のこと

ZEB（net Zero Emission Building）：ビル業務用施設版のZEH

脱炭素の時代に成長が見込まれる産業

政府が定めた14の重点分野では、中小企業の皆さんにとっても新たなビジネスチャンスが広がっています。その中でも特に重要な②水素・燃料アンモニア、④原子力、⑤自動車・蓄電池を説明します。

水素・燃料アンモニア産業というのは、水素エネルギーのお話です。水素は単体で燃焼しても水しか発生せず、CO_2を排出しないことから環境に優しいエネルギーとして注目を集めています。水素は水を電気分解してつくることができるため、低コストで生成するための研究開発が進められています。この水電解装置はタンクや電解槽など多くの部品が使われるため、中小製造業にとってはビジネスチャンスになります。

また、水素はとても軽い物質で、爆発しやすい性質もあるため、輸送する際にはより安定的な物質に変換します。変換する物質はいくつか候補がありますが、アンモニアが最も有力な物質の1つになっています。これは、アンモニアが昔からよく使われる化学物質で取り扱うノウハウがたくさんあることや、アンモニアのままでも燃焼させることができ、発電などに利用できるからです。このようなアンモニアや水素を燃やして発電する水素

水素に関する中小製造業のビジネスチャンス

- 水電解槽
- タンク（水素／酸素）
- 純水製造装置
- 苛性循環タンク
- 窒素製造装置
- ガスホルダー
- 水素圧縮機
- 除湿精製器
- 中圧水素タンク
- バルブ／ポンプ
- ベント（水素／酸素）
- 水封槽（水素／酸素）
- 水封槽（水素／再生ガス）
- 加熱器（水素／再生ガス）
- 水素ガス冷却器
- ミストセパレーター
- 制御盤／電解電源
- パイプ／ボルト／ナットなど

多くの需要がある

水素タービン部品の製造

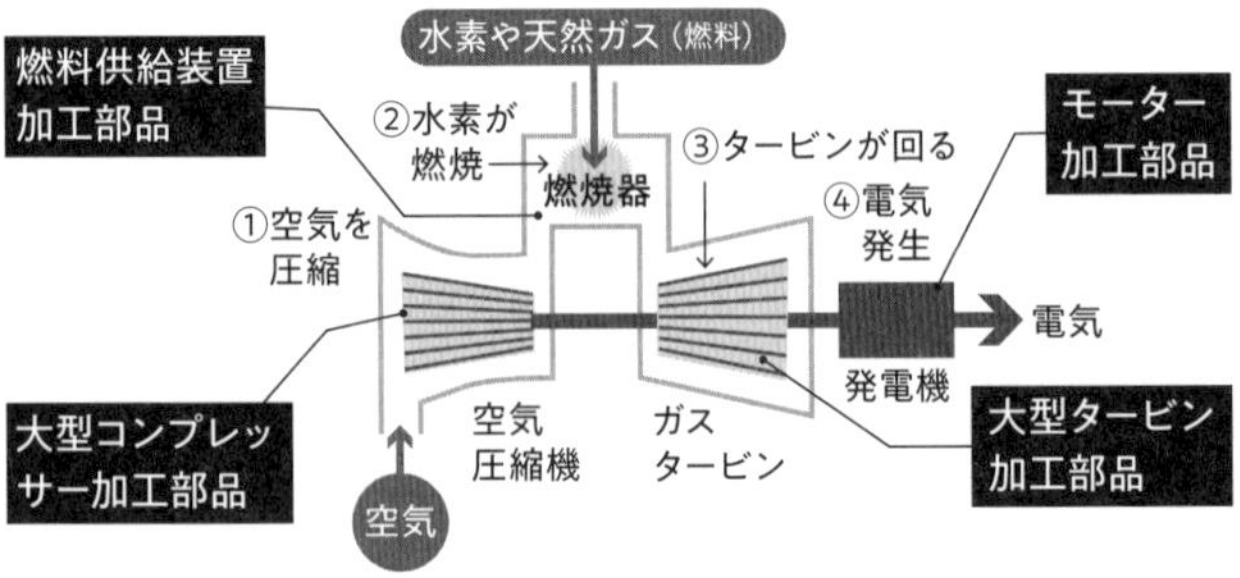

タービンの開発においても、多くの設備装置や部品が利用されるため、製造業や工事業では、設備メーカーから試作品の供給や装置部品の量産、装置の設置工事などを求められる可能性があります。

原子力産業では、次世代原子力発電所建設の検討が加速しています。次世代原子力にはいくつかの種類がありますが、日本で開発が推進されている小型モジュール炉についてご紹介します。小型モジュール炉とは、出力30万キロワット以下の原子炉のことです。原子炉を小型化した狙いは、熱の発生量に対して冷却面積が増加するため、特別な冷却をおこなわなくても自然に冷えることです。これにより、従来の原子炉と比べて安全性が飛躍的に高まります。

小型モジュール炉は、設備の大半を工場で生産することができます。従来の原子力発電所の建設プロジェクトは大手企業が主導してきましたが、小型モジュール炉の部品は中小企業であっても製造できる可能性があることから、新たなビジネスチャンスが生まれています。また、小型モジュール炉は船やトラックで運ぶことができるため、ひとたび普及が始まれば、全国的に建設需要が高まります。これにより、全国の建設業は、電力会社などから次世代原子力発電所の建設を求められる可能性があります。

原子力に関する中小製造業・建設業のビジネスチャンス

小型モジュール炉の建屋の特長

●規格化された部材一式を工場で生産＋組み立て
→現地で設置（現行炉は一品一様）

●高い品質・短い工期・コスト低減を実現

【1】原子炉圧力容器
【2】格納容器
【3】炉心
・格納容器
・原子炉
・蓄圧タンク
・高圧注入ポンプ
・余熱除去ポンプ
・高圧パイプ類
・蒸気発生器
・制御システム
・制御／分電盤
・各種ハーネス類
・バルブ
・メータ・センサ

【4】建屋・居住棟建築
・基礎工事
・変電設備
・鉄筋／鉄骨
・パイプ（スチール／塩ビ）
・キッチン／トイレ／浴室
・建材（断熱材・壁紙等）
・建具（ドア／窓等）
・配電盤
・電気工事
・照明
・電気製品（テレビ／エアコン／冷蔵庫他）など

↓

多くの需要がある

自動車・蓄電池産業では、自動車の電動化が推進されています。しかし、電気自動車は充電時間が非常に長いことや走行距離が短いこと、寒い地域や冬場はバッテリーが消耗して動かなくなることなどの問題があり、完全に電気自動車に移行することは非現実的といわれています。これを踏まえて、日本の自動車業界では、電気、水素、バイオ燃料、合成燃料、ハイブリッド車など、あらゆる選択肢を組み合わせた現実的な車種のバランスをつくっていくことが表明されています。こうした先行きが見通せない状況では、柔軟な思考とあらゆる方向への対応力が求められます。自動車業界で製造業を営む中小企業では、独自の強みである技術を磨きながら、新しい情報を入手できるネットワークをつくり、どの方法が主流になったとしても生き残れるように準備をすることが大切です。

中小企業の皆さんが、14の重点分野に基づいた新しい事業を独力で展開することは難しいかもしれませんが、自社の技術や取引先との関係性を生かして、いずれかの分野の企業とつながることはできるはずです。自社の強みを活用し、これらの重点分野に挑戦することとは非常に価値ある取り組みであり、経営資源を持つ企業は積極的にチャレンジすることを強くおすすめします。

自動車に関する中小製造業のビジネスチャンス

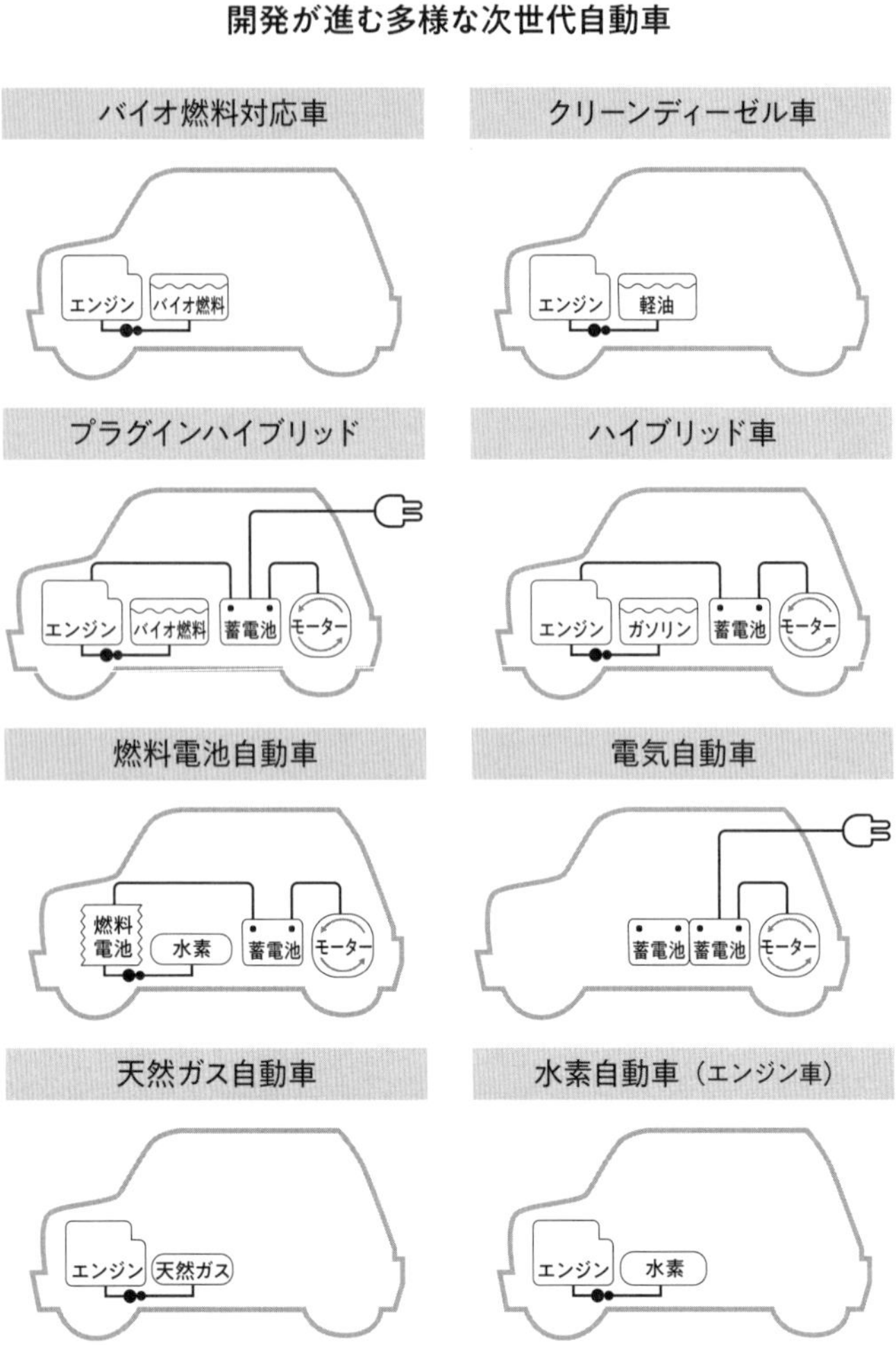

出所：地球温暖化問題に関する懇談会中期目標検討委員会（第4回）日本自動車工業会資料

5 大企業が主導するサプライチェーン全体のCO_2排出量把握

大企業が求められるCO_2排出量の開示

ここまで、世界や国の動向などの大きな流れを見てきましたが、ここからは企業にフォーカスして、脱炭素に対してどのような動きをしているのかを見てみたいと思います。脱炭素の流れを受け、大企業は投資家や金融機関から環境問題に対する取り組みの開示を求められるようになってきています。例えば、２０２２年4月から東証プライムに上場する全企業に対して、企業の気候変動への取り組みや影響に関する財務情報の開示が義務づけられました。また、同じく東証プライムに上場する全企業に対して、ＣＤＰという気候変動・

大企業が求められるCO_2排出量の開示

2022年4月から東証プライム全上場企業に対し要請開始

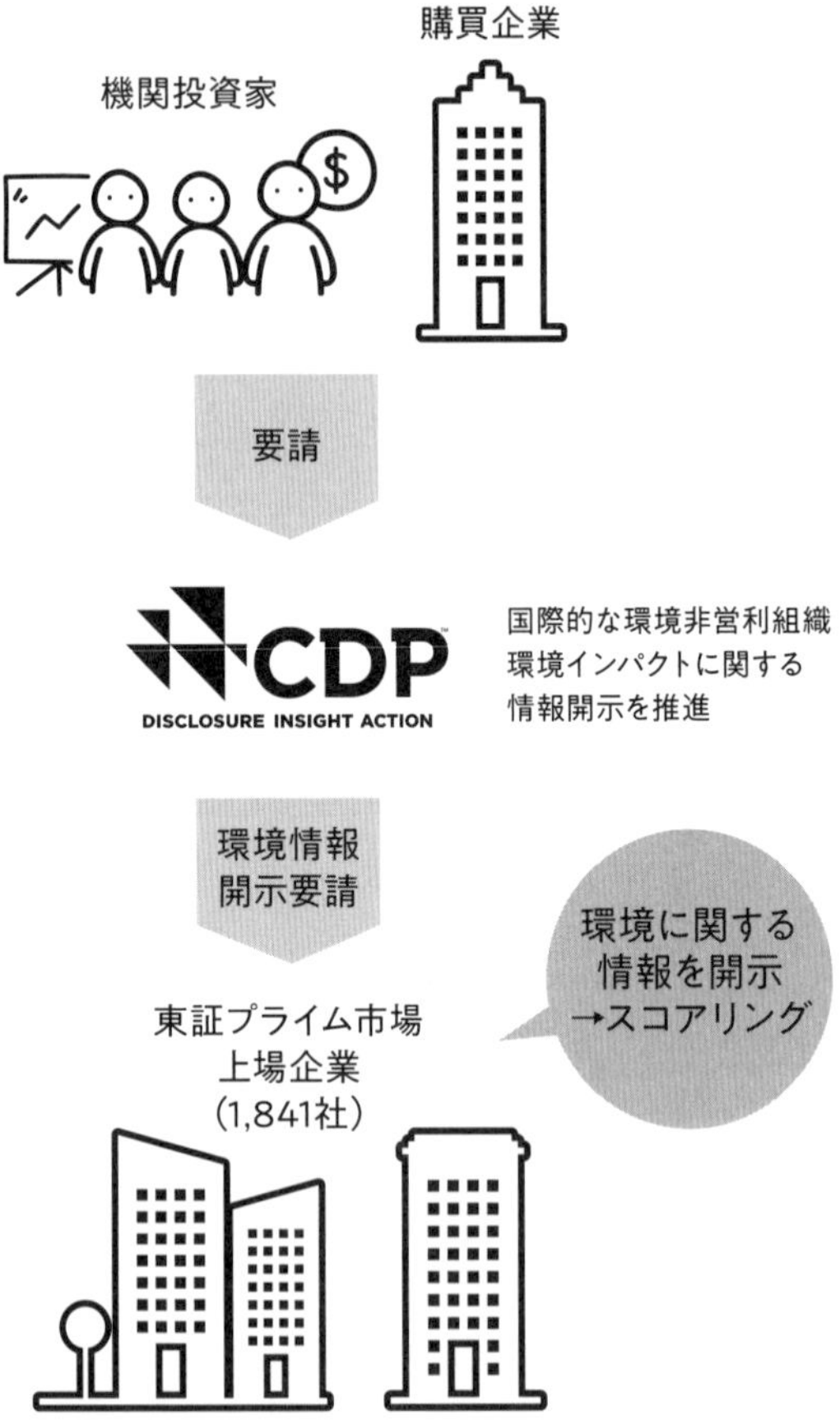

CO_2排出関係の非営利団体から毎年質問状が送られるようになっています。この質問状に対する回答内容は審査され、気候変動レポートという形でAからDマイナスのスコアリングが公開されます。

こうした流れを受けて、すでに一部の大企業では積極的にCO_2排出量の開示を始めています。株式会社日本取引所グループの調査によると、2022年3月末時点で東証プライム等に上場している主要企業400社のうち、約半数がCO_2排出量を開示しています。

CO_2排出量の算出範囲

このように大企業においてCO_2排出量の開示が広がっており、サプライチェーンのCO_2排出量の計算も始まっています。サプライチェーンとは、原材料調達、製造、物流、販売、廃棄などの一連の流れ全体のことをいいます。

サプライチェーンのCO_2排出量の計算方法は、国際的な枠組みによって定められており、多くの文書が公開されています。ここでは、その基本的な考え方を簡単にご紹介します。

CO_2排出量の算出範囲は、3つの「スコープ（Scope）」に分類されます。スコープ1

は自社の燃料の燃焼、スコープ2は他社から供給される電気などの使用、そしてスコープ3は自社のCO_2排出ではないが自社の活動に関連する他社の排出です。スコープ3は、例えば原材料の購入に関していえば、原材料の製造で排出したCO_2や、輸配送に関して利用した運送業者が排出したCO_2などです。

大企業がCO_2排出量を算出する場合、スコープ1～3のすべて、つまり原材料の供給業者から製造、物流、販売、廃棄までサプライチェーンすべての事業者のCO_2排出量を把握する必要があります。この理由を大企業の視点に立って考えてみましょう。スコープ1、2である自社が排出するCO_2の算出、削減だけが責任範囲だとすると、例えばトヨタ自動車株式会社が製造などをすべて外注化してファブレス企業になれば、自社でエネルギーを使うことがなくなるので、ほぼ一瞬でカーボンニュートラルを達成できることになってしまうからです。大企業が製品の製造から廃棄までの全過程に責任を持つことで、世界全体のCO_2排出量をきちんと減らしていこうという考え方になります。

このため、大企業はCO_2排出量を把握する必要から、サプライチェーン上下流両方に順次CO_2排出量を問い合わせます。例えば、トヨタ自動車株式会社は株式会社デンソーに自動車部品のCO_2排出量を問い合わせ、株式会社デンソーは中小製造業に自動車部品

CO2排出量の算出範囲

出所：経済産業省 関東経済産業局

の構成部品のCO_2排出量を問い合わせ、中小製造業は鋼材商社に鋼材のCO_2排出量を問い合わせるといった流れで、CO_2排出量の把握を進めます。

中小企業の皆さんは、スコープ1、2（自社の燃料の燃焼と電気の使用）とスコープ3のうち、原材料などの上流のCO_2排出量が主な算出の対象になります。下流のCO_2排出量は、基本的に取引先が算出するCO_2排出量になるため、サプライチェーンの中流にいる中小企業の皆さんはあまり考えなくても大丈夫です。もちろん自社製品を製造・販売する中小企業は、スコープ1、2、3の管理が必要になります。

大企業からの要請開始

このように、大企業はCO_2排出量の開示にあたり、大企業が直接やりとりをしている企業を通じてサプライチェーン全事業者のCO_2排出量を把握する必要がありますが、2023年時点で取引先から「あなたの会社のCO_2排出量はどれくらいですか?」と聞かれたことがある方は少ないと思います。これは、2023年時点では、大企業がCO_2排出量の計算を実測値ではなく、購入金額から推計しているからです。例えば、自動車部品を仕入れた場合、環境省が公表する排出原単位データベースに記載されている「自動車部

大企業からの要請開始

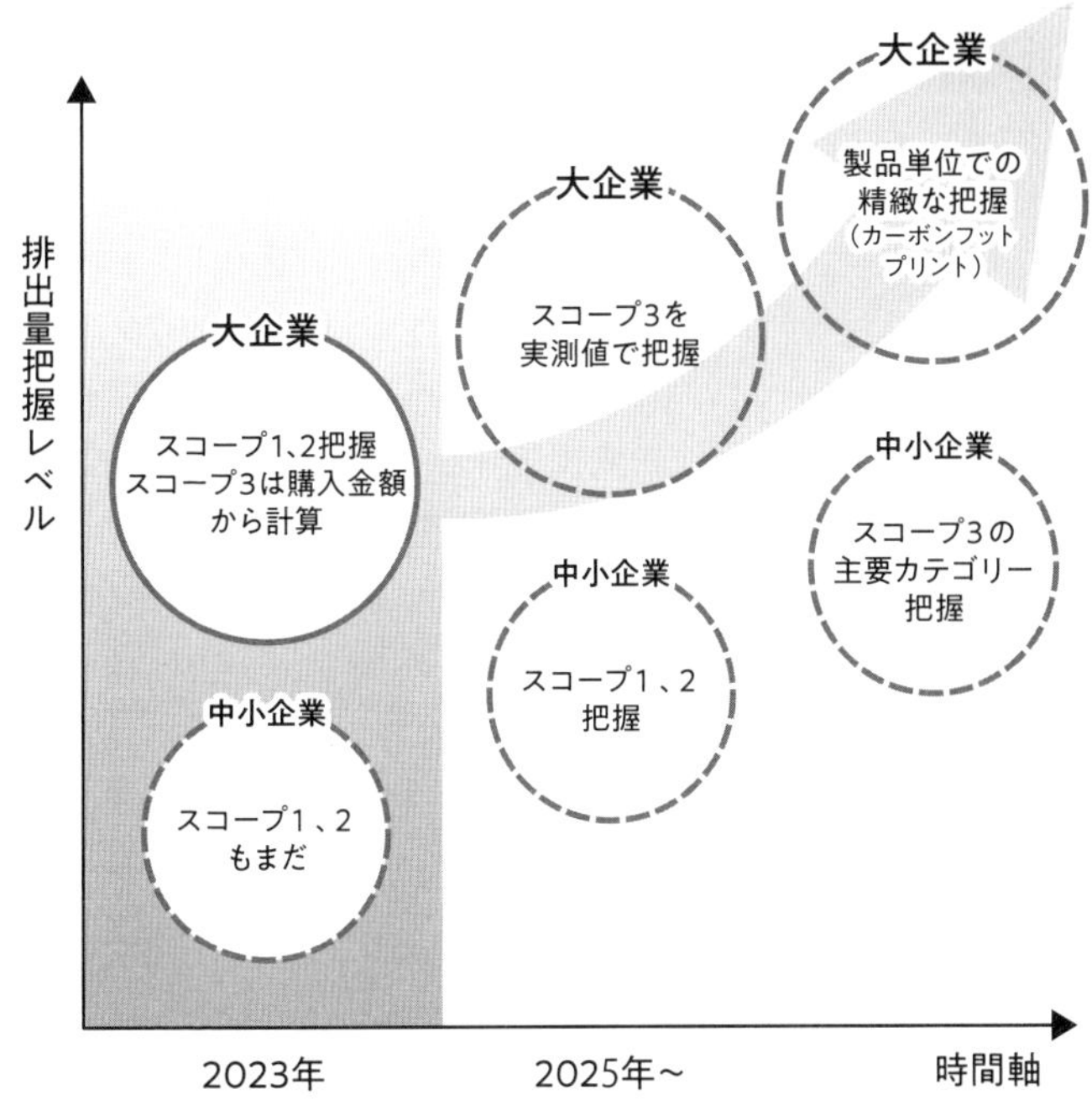

品100万円あたりCO_2排出量4・52トン」という数字を使ってCO_2をだいたいこれくらい使っているだろうという形で計算しています。

CO_2排出量の推計は、一見すると簡単に計算できるため、よさそうに思います。しかし、この計算だと、供給業者のCO_2排出量の削減努力が取引先のCO_2排出量の計算に反映されません。取引先からすれば、

大企業によるCO_2排出量の開示

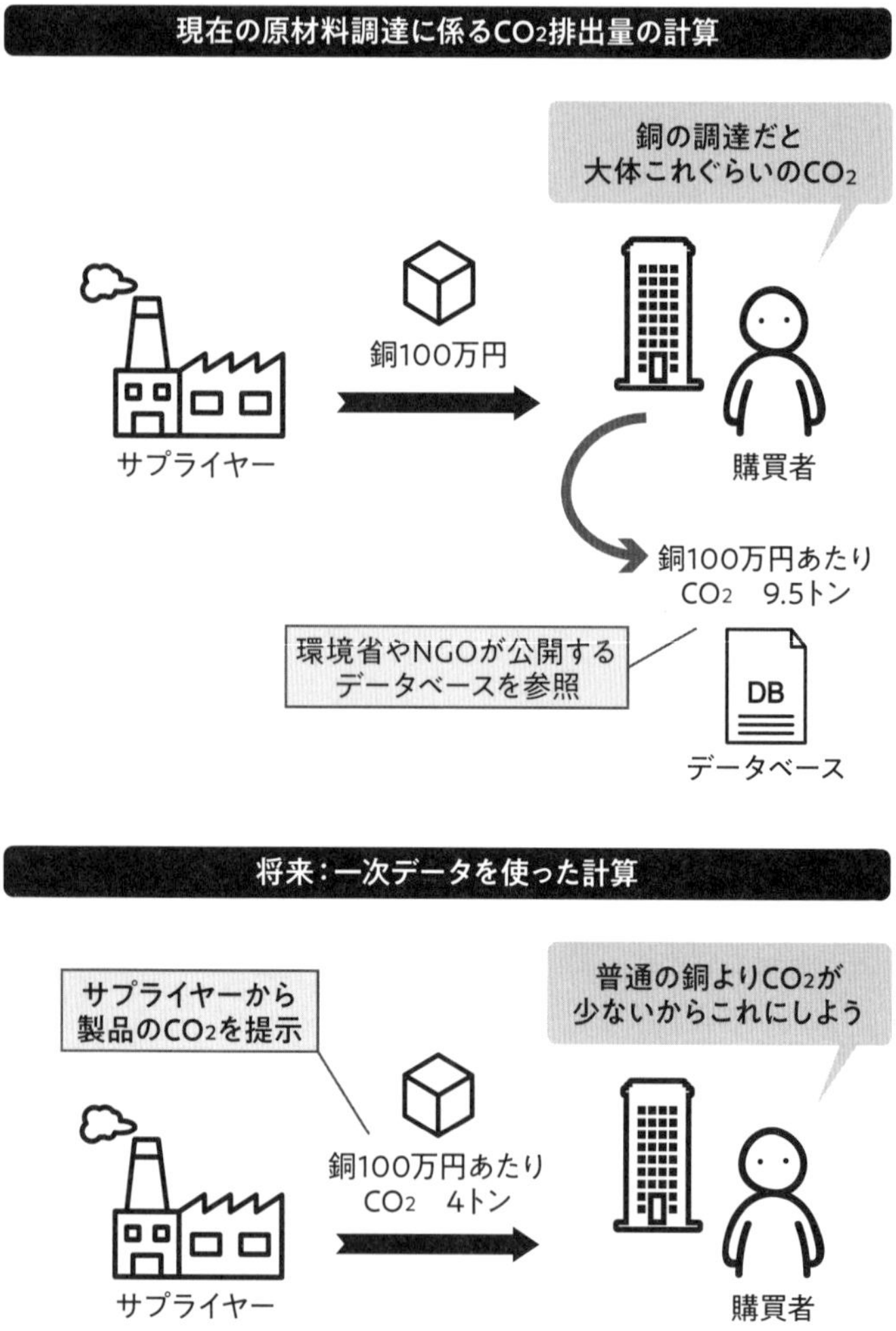

調達する製品をつくるために実際に出たCO_2の量は関係なく、単に安い製品を購入できればCO_2排出量を削減したことになってしまいます。

政府もこうした状況を問題視しており、サプライチェーンでのCO_2排出量の把握では、なるべく実測値（一次データと呼ばれています）を利用するべきだという指針を出しています。民間においても実測値を利用したCO_2排出量を把握する取り組みが進んでおり、2021年に設立したＧｒｅｅｎ×Ｄｉｇｉｔａｌコンソーシアムでは、CO_2排出量の実測値を企業間で連携させる実証実験が進められています。

これらの動向から、移行期間も考慮すると、最短で2025年ごろからCO_2排出量を実測値で計算して公表する大企業が出はじめると予想しています。そして、おそらく2030年前後にはCO_2排出量を実測値で計算することが一般的になるでしょう。

また、一部の大企業では元請け企業や二次請け以下の企業に対して、CO_2排出量の目標設定の要請を始めています。例えば、大和ハウス工業株式会社やソニーグループ株式会社などが、サプライチェーンの下請け供給業者に対して、2020年から2030年の間にCO_2排出量の削減目標設定を進める計画を公表しています。今後、サプライチェーンのCO_2排出量の管理が重要になるにつれて、このような要請も増える見込みです。

サプライヤーへのSBT目標設定を掲げるSBT認定企業例

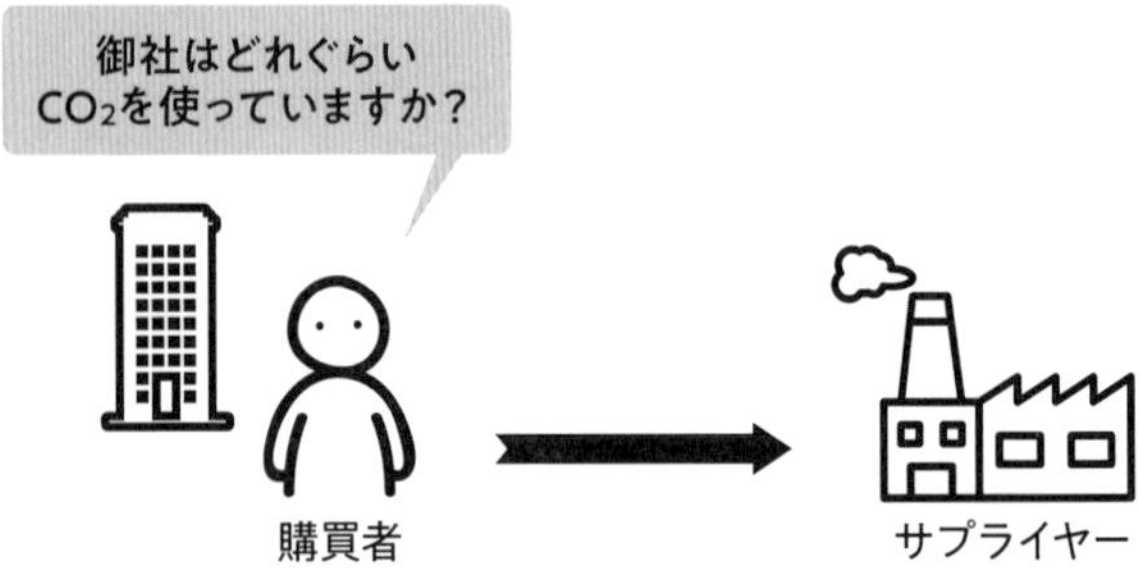

企業名	セクター	目標		
		Scope	目標年	概要
大和ハウス工業	建設業	スコープ3 カテゴリ1	2025年	購入先サプライヤーの90%にSBT目標を設定させる
ジェネックス	建設業	スコープ3 カテゴリ1	2024年	購入した製品・サービスの排出量の90%に相当するサプライヤーに科学に基づく削減目標を策定させる
積水ハウス	建設業	スコープ3	2027年	購入した製品・サービスによる排出量の65.8%に相当するサプライヤーにSBT目標を設定させる
ナブテスコ	機械	スコープ3 カテゴリ1	2025年	主要サプライヤーの70%に削減目標を設定させ、2030年までにSBTを目指した削減目標を設定させる
浜松ホトニクス	電気機器	スコープ3 カテゴリ1	2026年	購入した製品・サービスによる排出量の76%に相当するサプライヤーにSBT目標を設定させる
ルネサスエレクトロニクス	電気機器	スコープ3 カテゴリ1	2026年	購入した製品・サービスによる排出量の70%に相当するサプライヤーにSBT目標を設定させる
ソニーグループ	電気機器	スコープ3 カテゴリ1	2025年	購入した製品・サービスによる排出量の10%に相当するサプライヤーにSBT目標を設定させる

出所：環境省

6 脱炭素に対応できない企業は市場から追い出される

全世界を巻き込んだ脱炭素の波

ここまでの内容をまとめます。

世界的に消費者が環境に配慮した企業や商品を選ぶようになってきており、その流れを受け、投資家や金融機関は、環境保護を重視しつつ利益を上げる企業への投資を増やしています。大企業の経営者にとって、自社の株価は重要な評価指標の1つであり、株価を上昇させるためには、環境問題に対処せざるを得ない状況になっています。

また、ヨーロッパを中心に脱炭素の実質義務化が進みはじめています。カーボンフット

グローバルな圧力が中小企業へ徐々に波及……

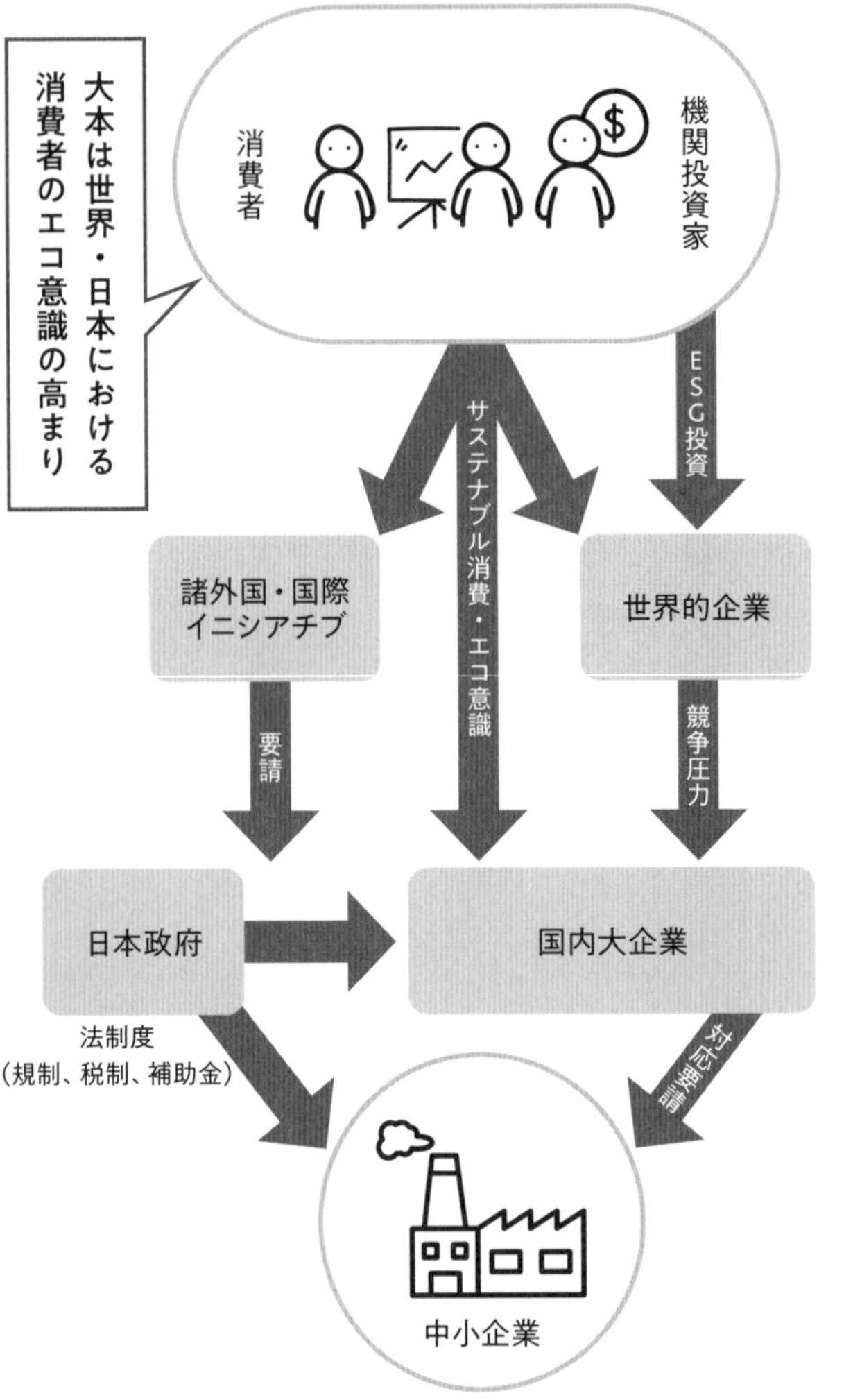

プリントという製品ごとにCO_2排出量を表示することから始め、時期を見て製品あたりのCO_2排出量に規制がかけられる流れになりそうです。

日本は、2050年までにCO_2排出量をゼロにすること、2030年までに2013年度比でCO_2排出量を46％削減することを世界に宣言しています。カーボンニュートラルの達成に向けて、2023年から毎年約2兆円のGX経済移行債を発行し、補助金などによって民間企業のGX投資を後押しします。また、14の重点産業分野を定め、大胆な投資をすることを公表しています。これらの重点分野では、新たな技術や製品が生まれるため、ビジネスチャンスが期待できます。

国内大企業は、投資家などからサプライチェーンのCO_2排出量の開示と削減を求められています。これに対応するためにサプライチェーンの全供給業者に対して、CO_2排出量の開示と削減を求めはじめています。

中小企業に求められること① CO_2排出量の開示

これまでの話の流れを受け、中小企業で求められることをまとめます。

1点目はCO_2排出量の開示です。サプライチェーン全体のCO_2排出量の計算に際し、近い将来、大手企業は私たち中小企業を含めたサプライチェーンの全供給業者に対して、CO_2排出量の開示を求めてきます。サプライチェーンでつながっている事業者がCO_2排出量の開示に応じられない場合、大企業はCO_2排出量を算出できなくなるため、大企業はCO_2排出量を開示できる事業者に調達先を乗り換えます。

なお、これに先駆けて2023年度から、政府は、原材料調達から廃棄までに排出するCO_2排出量を表示した製品を優先的に公共調達で購入する取り組みを始めています。

中小企業に求められること② CO_2排出量の削減

2点目はCO_2排出量の削減です。一部の大企業は投資家向けにCO_2排出量の削減目標を開示し、取引先にも要請を始めています。大手企業が私たち中小企業を含めたサプライチェーンの全供給業者に対して、CO_2排出量の削減を求めてくる、あるいは共同で排出量を削減していく取り組みを提案してくる将来もそう遠くないと思われます。そのような未来に先手を打ち、自ら進んでCO_2を削減することは大きな強みとなります。

CO_2排出量の開示・削減をうまくアピールする

中小企業はこのような取り組みを積極的にアピールしていく必要があります。脱炭素の流れの源泉は、世界的な消費者の声や投資家の要望です。脱炭素の取り組みはなかなか目に見えにくいものなので、消費者、投資家、あるいは取引先の目に留まるよう、しっかりとアピールしていくことが重要です。後半で説明する国際認証の取得などもその方法の1つです。

中小企業にとってカーボンニュートラルは無視できない形で目の前に迫っています。中小企業においても「売上を上げる」「人を雇う」といったレベルで「脱炭素に取り組む」ことが重要な経営課題になります。脱炭素を経営課題の中心の1つに据えることで、変革の波に備えましょう。

中小企業に求められること
=脱炭素を経営課題の中心に据える

①CO_2排出量の開示
取引先から聞かれたときにすぐに答えられるようにする

②CO_2排出量の削減
サプライチェーン全体でのCO_2排出量削減に貢献する

→ **うまく関係者にアピール!**

コラム

世界197カ国・地域の共通目標

世界は「産業革命前と比較して気温の上昇を1・5℃までに抑える」という目標に向けて、「今世紀後半に人為的なCO_2排出量を実質ゼロにする」ための取り組みを進めています。こうした流れの始まりは、皆さんもご存じの通り、京都議定書の締結です。

1997年に締結された京都議定書は、世界で初めて先進国がCO_2排出量の削減目標を定めた画期的な内容でした。しかし残念ながら、京都議定書による取り組みは、地球環境への影響がほとんどありませんでした。その背景には、先進国と発展途上国の力関係、特にアメリカと中国の力関係の問題がありました。CO_2排出量と経済成長（GDP）が密接に関連していることはお互いに認識していました。先進国のアメリカは、その当時に世界で最もCO_2排出量の多い国でしたが、アメリカと同水準のCO_2排出量を記録していた中国が規制に参加しなければ、アメリカの参加は無意味であるという考え方が主流でした。一方で発展途上国の中国は、アメリカをはじめとする先進国が過去に大量のCO_2を排出して経済成長を果たしたにもかかわらず、これからの経済活動を制限するような流れをつくることに反発していました。このように、お互いが自国の立場を譲らない中でCO_2

パリ協定を契機とした世界全体での脱炭素推進の流れ

1997年京都議定書	2015年パリ協定
2020年までの枠組み	2020年以降の将来 (長期目標)
先進国のみ	途上国を含む159カ国
目標の達成義務	目標の策定・提出 (目標達成の義務ではない)

▼ 途上国との不和があり実効性に欠ける結果に

▼ 世界の大部分をカバーする脱炭素推進の転換点になった

排出量が増え続けたため、京都議定書の取り組みは効果を得ませんでした。ただし、先進国だけでもCO_2排出量の削減目標に合意したという事実は、その後の環境問題への取り組みにあたって重要な役割を果たしています。

そこから多くの紆《う》余《よ》曲折を経て、2015年にパリ協定が締結されました。中国とアメリカがパリ協定への参加を表明したことで、気候変動枠組条約に加盟するすべての国がCO_2排出量の削減目標を設定し、具体的な行動をとることに合意をしました。

ところが、2017年にアメリカで政権交代が起こり、パリ協定から脱退しました。当時のアメリカ政権は脱退の理由について、「パリ協定によりアメリカは温暖化対策で巨額の支出を迫られる一方で、雇用喪失、工場閉鎖、産業界や一般家庭に高額なエネルギーコストの負担を強いられる。また、2025年までに製造業部門で44万人、全体で270万人の雇用が失われ、2040年までにGDPが3兆ドル（発言当時のレートで約300兆円）失われる」と述べています。この発言からも、CO_2排出量を削減する行為が経済成長（GDP）の阻害を意味することがわかります。

2021年にアメリカで再び政権交代が起こり、パリ協定に復帰しました。空白の4年間が経過し、再びCO_2排出量の削減に取り組むべきだという意識が高まってきたのです。それに合わせるかのように、日本も2020年にカーボンニュートラルを宣言しました。

現在のパリ協定は、世界197カ国・地域が賛同し、参加を表明しています。世界150カ国以上が年限付きカーボンニュートラルを表明しており、世界全体のCO_2排出量の88・2%を占めるまでになっています。

カーボンニュートラルの実現には、国ごとにそれぞれ異なる政治、経済、環境、エネル

年限付きのカーボンニュートラルを表明した国・地域

■2050年までのカーボンニュートラル表明国：144カ国（42.2%）
■2060年までのカーボンニュートラル表明国：152カ国（80.6%）
■2070年までのカーボンニュートラル表明国：154カ国（88.2%）

COP25終了時点（2019年12月）：121カ国

※世界全体のCO_2排出量に占める割合は17.9%

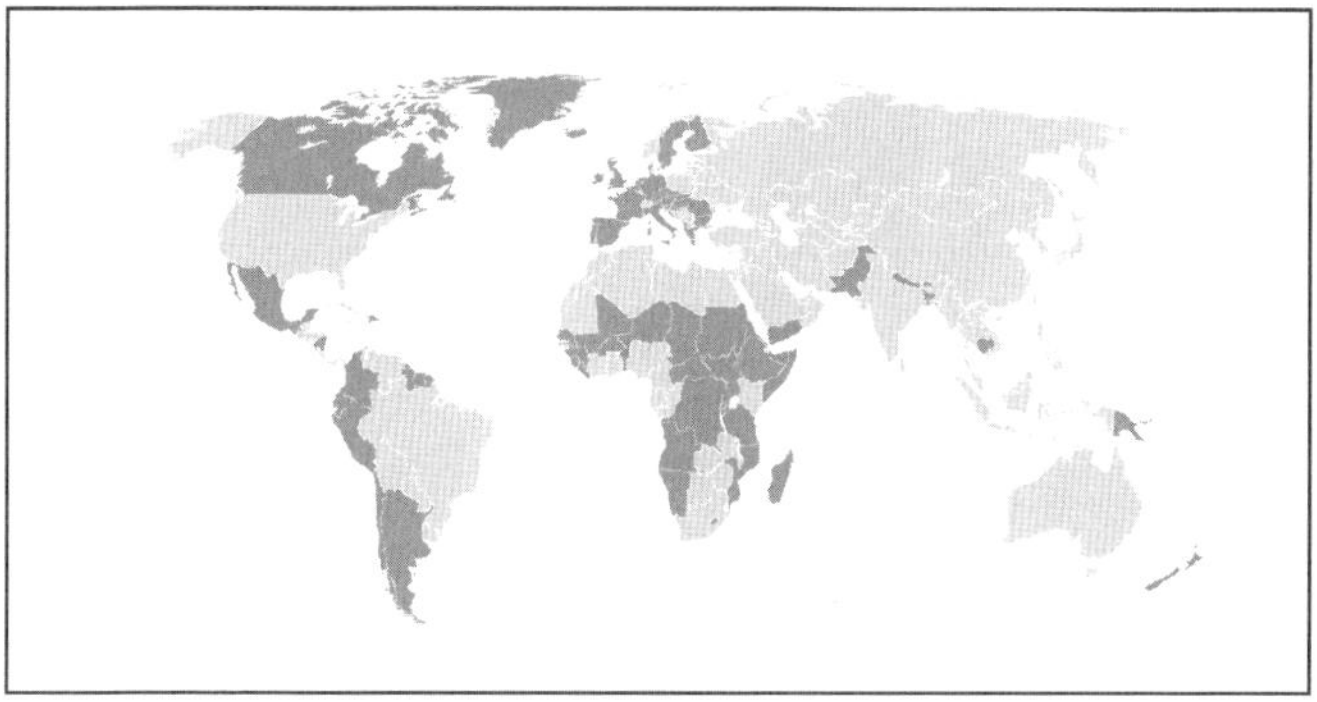

COP26終了時点（2021年11月）：150カ国以上

※世界全体のCO_2排出量に占める割合は88.2%

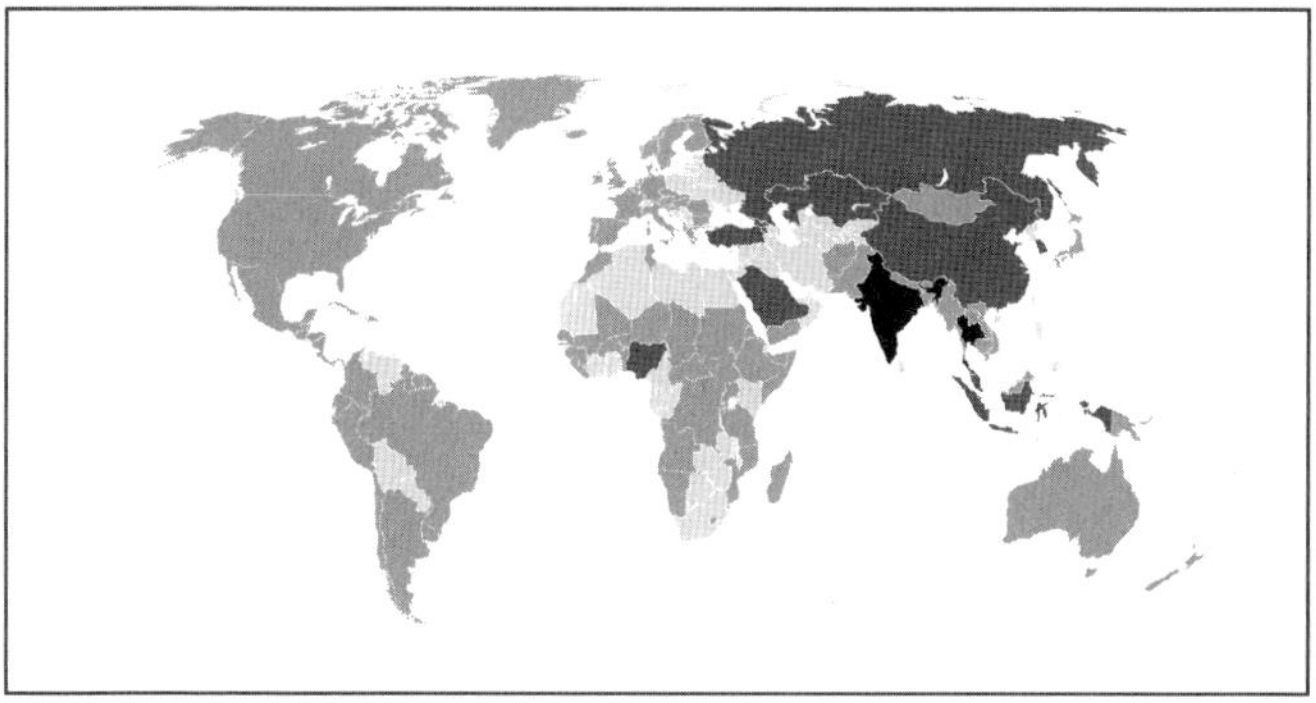

出所：あらためて振り返る、「COP26」（後編）～交渉ポイントと日本が果たした役割（経済産業省　資源エネルギー庁）

世界のCO_2排出量上位国

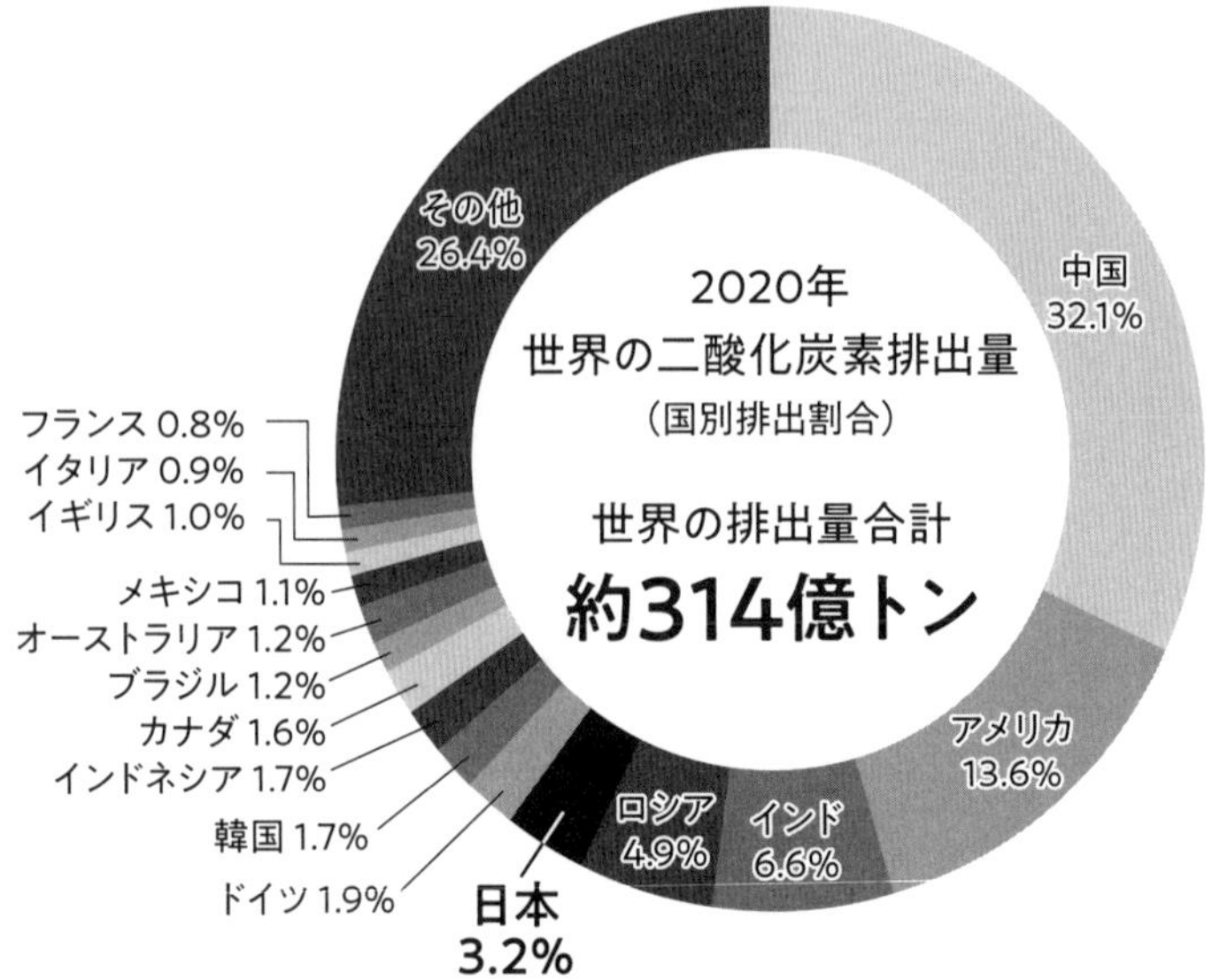

出所：EDMCエネルギー・経済統計要覧2023年度

ギーなどの事情があり、長い道のりになることが想定されます。しかし、少なくともCO_2排出量の上位5カ国である、中国、アメリカ、インド、ロシア、そして日本が年限付きのカーボンニュートラルを表明したことで、世界全体として環境問題の解決に取り組むという共通の意識が形成されたといえます。これから2050年に向けて、世界がカーボンニュートラルを前提とした社会へと再構築されることでしょう。

第3章

GXで取引先から選ばれ続ける中小企業になる

新たなる価値軸：C（カーボン）

ここからは本書で最もお伝えしたい内容である「脱炭素」に対応した企業が取引先から選ばれる未来について、お話しします。

現在の社会では、製品をつくる上で必ずCO_2を排出します。カーボンニュートラルが進んでいく今後、政府は削減目標を達成するためにCO_2排出量を限りなくゼロに近づける活動を推進し、炭素税の導入やCO_2排出量の規制をかけます。

例えば、２０２３年９月時点の熱延鋼板の市場価格は１トンあたり約11万円です。一方で、鉄を1トンつくるためにCO_2を約2・2トン排出します。政府が1トン1万円の炭素税の徴収を始めると、熱延鋼板の市場価格は炭素税が上乗せされ1トンあたり13・2万円になり、2割近いコスト上昇になります。

まずは、CO_2に価値がつくという認識を持つことが重要です。

さらに、単純な価格比較以上の価値がCO_2に生まれる可能性もあります。例えば、ドイツの自動車メーカーであるメルセデス・ベンツは2020年に取引先に対してカーボンニュートラルの取り組み依頼を開始しており、2039年までにカーボンニュートラル目標未達の企業を取引から除外する方針を通達しています。ここまでくると、CO_2は価値という概念を超えて義務になります。日本の企業がこの水準まで求めるかどうかはわかりませんが、こうした世界があることを頭の片隅に入れておくとよいでしょう。

商品価値軸の革新的変化：ＱＣＤＣ

これまで商品価値は、ＱＣＤと一般に呼ばれる品質、コスト、納期の3軸であり、これらの要素に重み付けをして、調達先を決めています。例えば、A社はB社に比べて品質と納期は同程度で、価格が安いのでA社から調達しよう、といった評価をしています。

商品価値軸の革新的変化：QCDC

これまで

	A社	B社
品質	○	○
コスト	◎	○
納期	○	○

これまでのQCDの価値軸ではA社が選ばれる

▼

これから

	A社	B社
品質	○	○
コスト	◎	○
納期	○	○
カーボン	×	◎

これからのQCD＋Cの価値軸ではB社が選ばれる

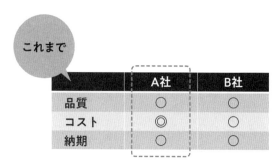

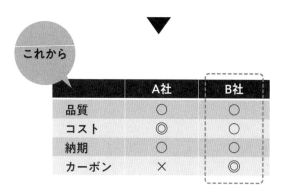

一方で、これからの商品価値は、品質、コスト、納期にカーボンが加わり、QCDCの4軸で評価するように変わります。例えば、A社は価格は安いが、CO_2をたくさん排出しているので、少し割高でも品質、納期は同程度でCO_2排出量がほとんどないB社から調達しよう、といった評価に変わります。

つまり、製品をつくる上で排出するCO_2を抑えられると、単価を上げることができる、または競争に勝つことができるようになります。

商品価値軸の変化によって勝ちパターンが変わる例①トヨタ生産方式

品質、コスト、納期、カーボンが商品価値軸になった社会では、取引先から選ばれる勝ちパターンに大規模な変化が起こります。起きうるシナリオの中でも最も極端な例は、多くの企業で採用されているトヨタ生産方式です。

トヨタ生産方式は、ジャストインタイムと呼ばれる「必要なときに必要なものを必要な量だけ」つくる仕組みで、多くの製造業の皆さんにとって模範とすべき仕組みといわれています。製品製造業者は定期的に使用した部品の情報を集め、部品製造業者に発注します。

部品製造業者は、使用した部品の量だけ部品をつくり、製品製造業者に納入します。こうすることによって、製品製造業者は使わない部品を置くスペースのムダがなくなり、部品製造業者はつくりすぎのムダがなくなります。結果としてＱＣＤが最適化され、競争力の高いものづくりが実現します。

一方で、この生産方式はＱＣＤＣの観点から見ると、必ずしも最適な方式とは限りません。例えば、「必要なときに必要なもの」をつくるために、部品製造業者は同じ部品を1日に3回つくったり、4トントラックに総量５００キロの部品を載せるようなかなり空きのある状態で配達したりすることがあります。このような状態では、ＱＣＤは最高水準でもCO_2排出量には輸送のCO_2がムダに多くかかってしまうかもしれません。もし、1週間分の部品をまとめてつくり配達できるのであれば、納期はやや劣りますが、輸送にかかるCO_2排出量を抑えることができる上、製造の段取り替えを減らせるので、コストもさらに抑えることができます。このように、商品価値軸にカーボンが加わると、今までの形態でトヨタ生産方式をそのまま使うだけでは最適な製造が実現できない可能性があります。

商品価値軸の変化によって勝ちパターンが変わる例②　海外生産

商品価値軸の変化によって、もう1つ勝ちパターンが大きく変わる可能性がある生産方法があります。それが生産コストの削減を目的とした海外生産です。

今まで多くの日本企業が生産コストの削減を目的として、主に人件費や原材料費の安い中国や東南アジアに生産拠点を移してきました。この戦略はコストを大きく下げることができますが、日本企業が海外から製品を調達するにあたっては長距離輸送が必須であり、CO_2排出量を押し上げやすいという問題を抱えています。

このようなCO_2排出の問題や、2022年から続いている円安、海外物価高を背景に、海外生産していた部品を国内生産に切り替え、輸配送に関わるCO_2排出量を削減する動きが出てきています。例えば、工作機械メーカーのDMG森精機株式会社では、国内下請け工場に約50億円を投じて生産能力を引き上げ、中国やタイから輸入していた部材の国内生産を開始しています。商品価値軸にカーボンが加わると、生産コストの安い海外の生産拠点を縮小し、輸送のCO_2排出量を抑えられる国内に生産拠点を回帰する流れがさらに加速する可能性があります。

ＱＣＤＣの商品価値軸が主流となる社会

このように、カーボンニュートラルの社会では、価格や納期だけでなくカーボンも重要な評価基準となります。CO_2排出量が少ないほど商品価値が高まる、そういった時代が目の前まで来ています。ＱＣＤではなくＱＣＤＣという言葉もそのうち一般的になり、製造業において常識となる可能性も高いです。

CO_2排出量1トンあたり1万円を超える価値がつきはじめると、取引先や消費者が、CO_2排出量の少ない商品を1・1倍から1・2倍の価格上昇であれば選ぶ社会が訪れる可能性は極めて高いです。他社に先駆けてＱＣＤＣというものの見方をする習慣をつけていくことで、カーボンニュートラル社会の商品価値軸に対応していきましょう。

2 大企業から絶対的な信頼を獲得するカーボンデザイン提案

カーボンデザイン：製品あたりCO_2排出量を設計する

ＱＣＤＣの商品価値軸のような新しい概念が普及するときは、安定している取引関係が流動化しやすくなります。取引先は、CO_2排出量を開示できない企業との取引を終了し、CO_2排出量を開示して削減できる企業と新たな取引を始めます。中小企業にとっては、新たな取引先への営業提案の余地が生まれるため、絶好のビジネスチャンスになります。

それと同時に、既存の取引先に対しても価格交渉の余地が生まれます。例えば、CO_2の価値が1トンあたり1万円のとき、製品をつくるために必要なCO_2排出量を0・1ト

カーボンデザイン：製品あたりCO_2排出量を設計する

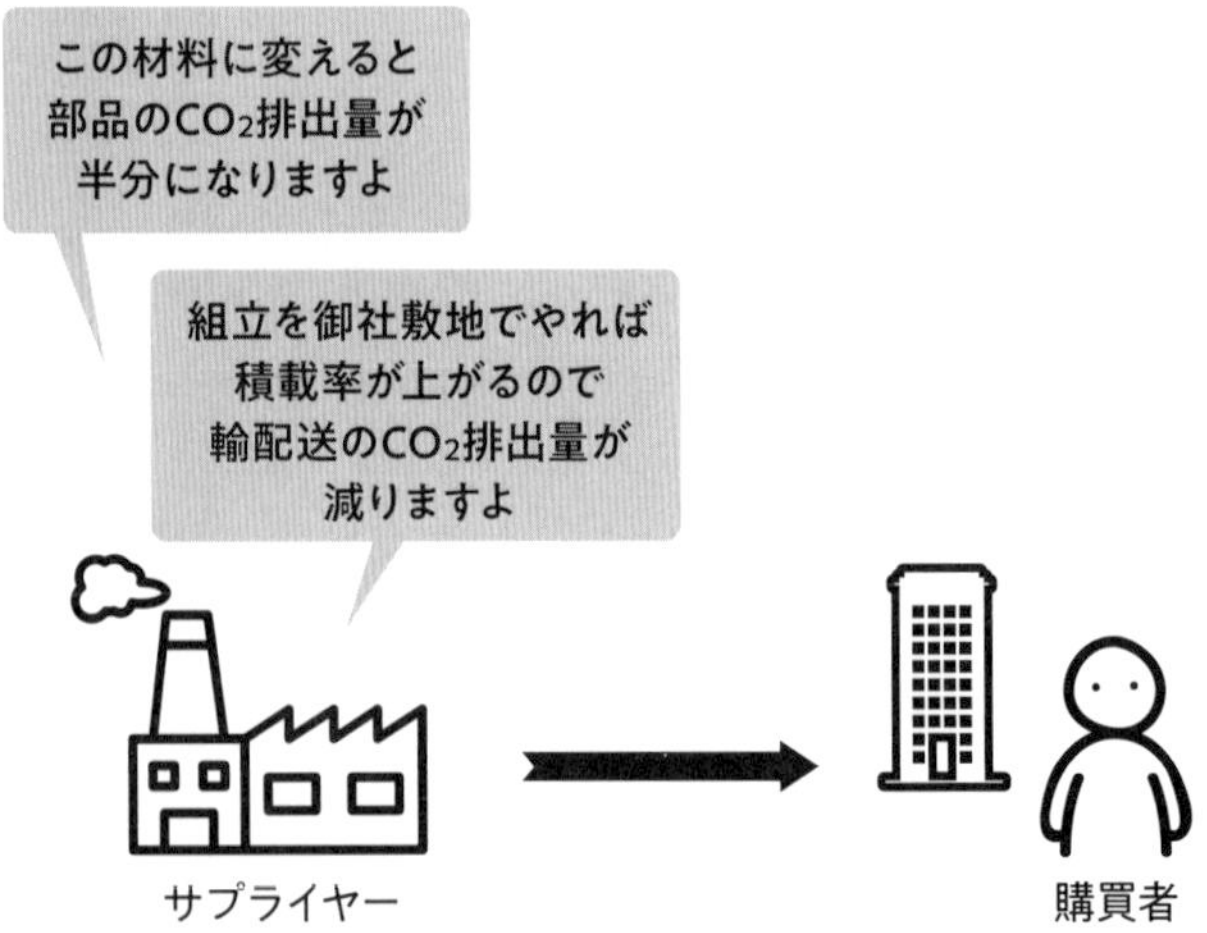
この材料に変えると
部品のCO_2排出量が
半分になりますよ
組立を御社敷地でやれば
積載率が上がるので
輸配送のCO_2排出量が
減りますよ
サプライヤー
購買者

ン削減できたとします。取引先に対して「製品に表示するCO_2排出量を０・１トン少なくできること」「CO_2排出量の削減分を金額に換算すると１０００円になること」の２つの値上げの根拠を丁寧に説明できれば、取引先にもご納得いただけるはずです。なお、価格交渉については、前著『インフレ時代を生き残る下請け製造業のための劇的価格交渉術』（幻冬舎）の中で、値上げをしていくためのノウハウをお話ししましたので、そちらをお読みください。

　新たな商品価値軸に適応するためには、製品あたりのCO_2排出量を示すことが重要です。設計段階から商品に関連するCO_2排出量を算出し、管理する必要があります。私はこれを「カーボンデザイン」と呼んでいます。

現時点ではCO_2排出量は、つくる、運ぶといった事業活動とほぼ連動するため、カーボンデザインは品質管理の改善活動に似ている部分が多く、エネルギーの視点からムリ・ムダ・ムラをなくしていくことが求められます。加えて、原材料の調達や輸配送に関わるCO_2の排出量削減を進めていく必要があるため、原材料をつくる際に必要となったCO_2排出量や原材料・完成品の運搬に関わるCO_2排出量、製品使用時に発生するCO_2排出量などを考慮することが必要になる場合もあります。以下では、カーボンデザインについて、いくつかの具体的な例を示します。

カーボンデザインの例

設計	加工量、廃棄量を減らす部品設計
調達	CO2 排出量の少ない素材に変更 （電炉鋼材、グリーンアルミなど）
製造	歩留まりや不良品率を改善する 設備投資、製造方法
輸送	近場の仕入先に変更する 工場移設による地産地消化

カーボンデザインの具体例

まずは、設計の変更によるカーボンデザインから見ていきます（次ページの図参照）。例えば、金属加工業者が、ボルトで締め付けて留める平らな鉄板を製造しているとします。この鉄板に関して、取引先から平面度を求められ、全面研磨で対応している場合、ボルトの部分だけ研磨するように設計変更できれば、研磨時間が短くなり、消費するエネルギーが減るためにCO_2排出量を削減できます。

続いて、原材料の選択によるカーボンデザインです（118ページの図参照）。金属加工業者などで鉄を使用する場合、一般的に高炉でつくられた鉄を調達していますが、これを電炉でつくられた鉄の調達に変更します。高炉は鉄を1トンつくるごとにCO_2を約2・2トン排出しますが、電炉は約0・8トンの排出しかないので、CO_2排出量を3分の1程度まで削減できます。また、アルミニウムを使用する場合、一般的に鉱石を製錬してつくられた製錬アルミを調達していますが、リサイクルでつくられた再生アルミの調達に変更します。製錬はアルミを1トンつくるごとにCO_2を約10トン排出しますが、リサイクルアルミは約0・3トンの排出にとどまるため、CO_2排出量を30分の1程度まで削減で

カーボンデザイン例（設計）

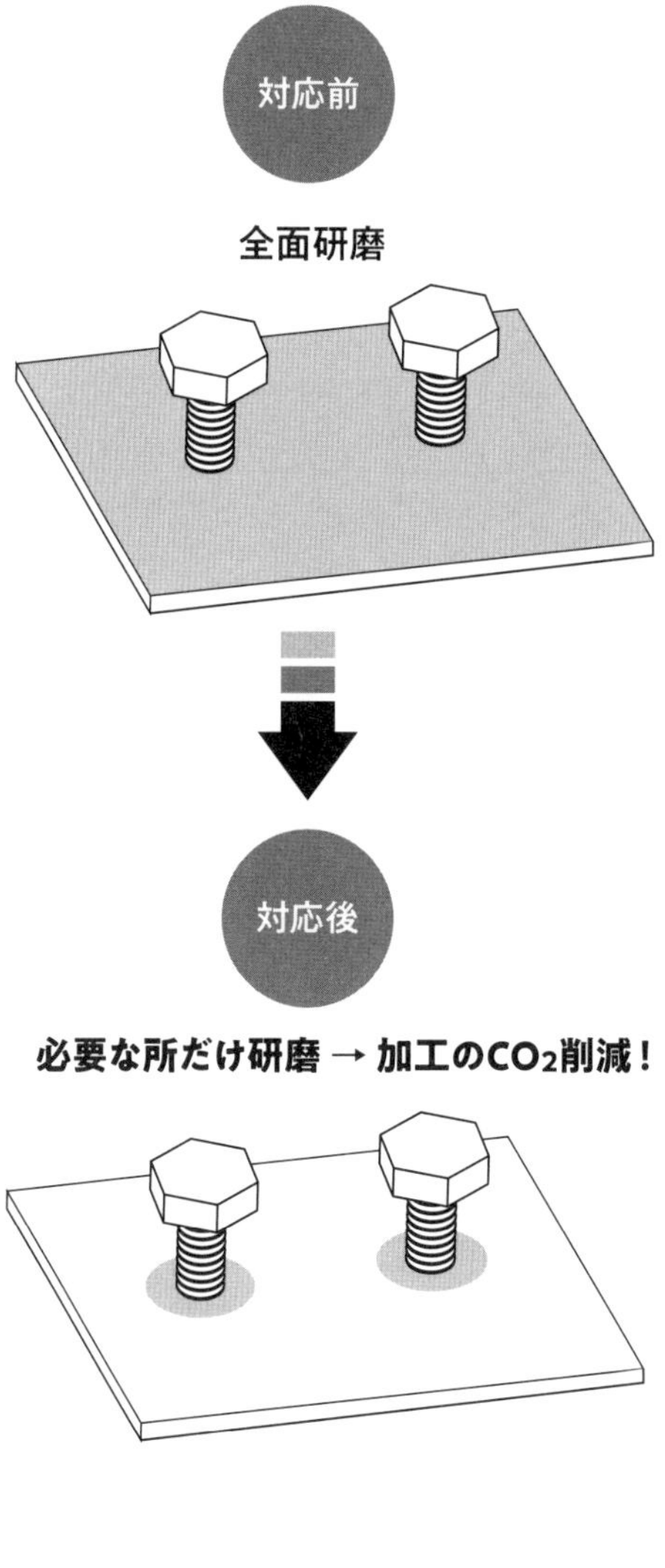

カーボンデザイン例（調達）

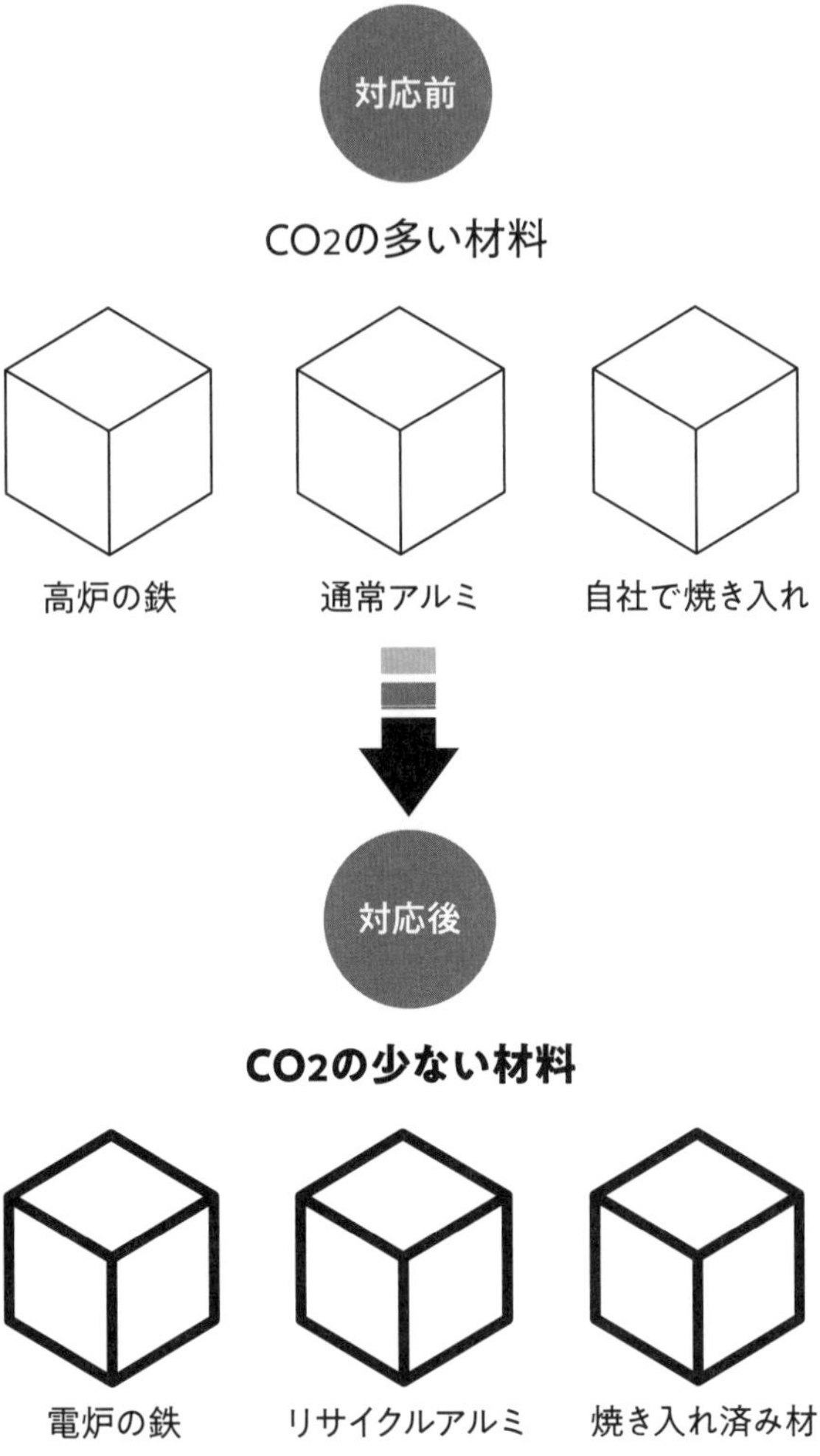

きます。

そのほか、焼き入れや焼き戻しといった熱処理が必要な場合、一般的に自社で金属加工をおこない、熱処理業者に委託しています。鋼材業者から焼き入れ済みの鉄を仕入れて加工することができれば、熱処理業者が個別に焼き入れをするよりも熱効率が高く、CO_2排出量を減らすことが可能です。この場合、自社から熱処理業者への運送に伴うCO_2排出量も減らすことができます。

今度は、輸送の見直しによるカーボンデザインをご紹介します（次ページの図参照）。東京の協力会社から大阪まで20トンの製品を輸送する場合、最大積載量13トンの大型トラック2台で輸送すると、1回の輸送で約1トンのCO_2を排出することになります。これを大阪の協力会社で製品をつくることができれば、輸送距離が大幅に短くなるのでCO_2排出量を10分の1以下に抑えられます。

また、毎日50キロ先の取引先に0・5トンの商品を輸送する場合、最大積載量4トンの普通トラックで輸送すると、1週間で約0・15トンのCO_2排出になります。これを1週間に1回にまとめて取引先に輸送する方法に変えることができれば、輸送にかかるCO_2排出量は約0・06トンになり、CO_2排出量を約3分の1に抑えられます。

▍カーボンデザイン例（配送）

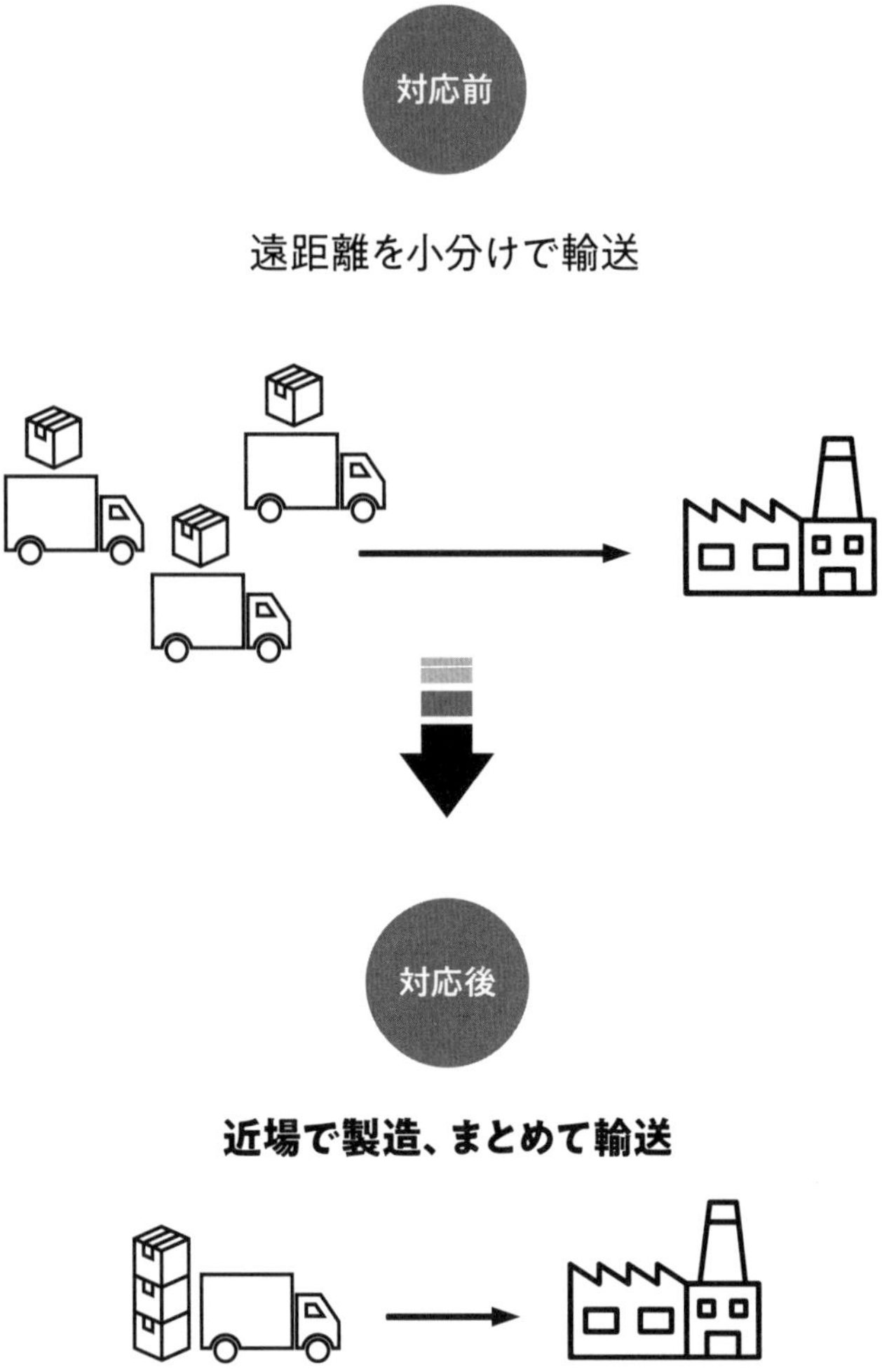

最後に、製造の工夫によるカーボンデザインを見ていきます（次ページの図参照）。A社とB社がある製品を100個つくる場合を考えます。A社では人手作業で加工しているため、あらかじめ10個の不良品を見込み、110個の製品をつくります。10個の不良品については廃棄処理をおこないます。一方、B社ではロボットや専用機で加工しているため、高品質な製品を確実に生産できることから、ちょうど100個つくります。もちろん、不良品の廃棄処理はありません。このとき、B社はA社に比べて製品をつくるためのCO_2排出量が10%以上少なくなります。

大企業が求めるCO_2排出量の削減とカーボンデザイン

大企業は、投資家や金融機関などにCO_2排出量の削減目標を宣言し、実現に向けてサプライチェーンの全供給業者に対してCO_2排出量の削減を求めてきます。

私たち中小企業は、大企業のCO_2排出量の削減を手助けする必要があります。そのためには、取引先に対してCO_2排出量の削減提案ができるかどうかがポイントになります。

皆さんも、原材料の調達から製品の輸送までの過程ごとにカーボンデザインを考えてみてください。

カーボンデザイン例（製造）

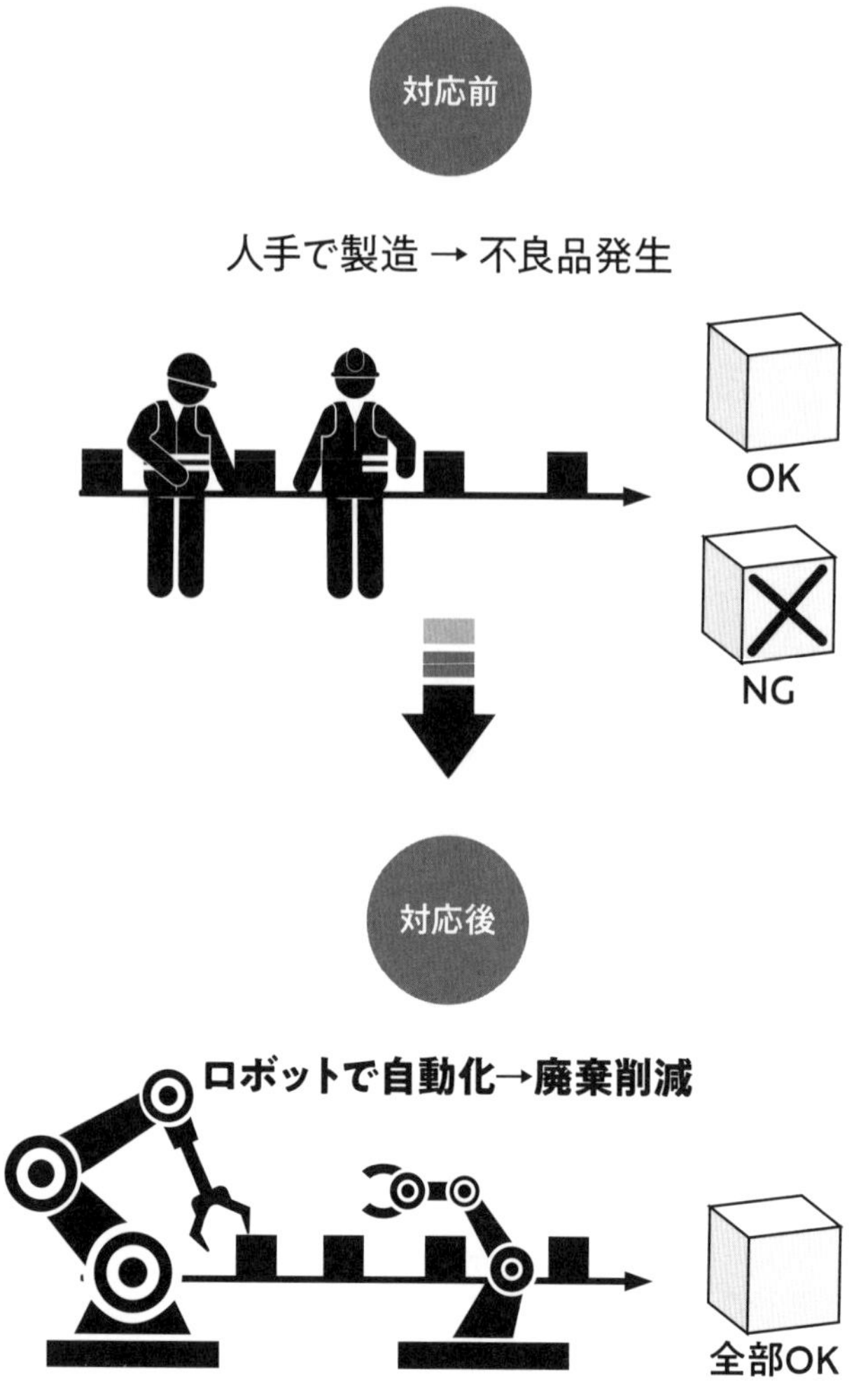

3 ライバルがいないうちに取引先を囲い込め

先行者利益を獲得できるチャンスは一度限り

２０２３年６月時点では、大企業がCO_2排出量の開示を始めた段階であり、ほとんどの企業がカーボンデザインの考えを持っておらず、競争相手は存在しません。そのため、取引先とＱＣＤＣの商品価値軸を共有し、すぐに思いつくような簡単な価値提案をおこなうだけでも大きな効果が期待できます。しかし、３年ほど経過すると、ほとんどの企業が同じことを考えはじめ、次第にカーボンデザイン競争が始まります。そうなると、より緻密に商品価値の提案を考える必要があります。

先行者利益を獲得できるチャンスは一度限り

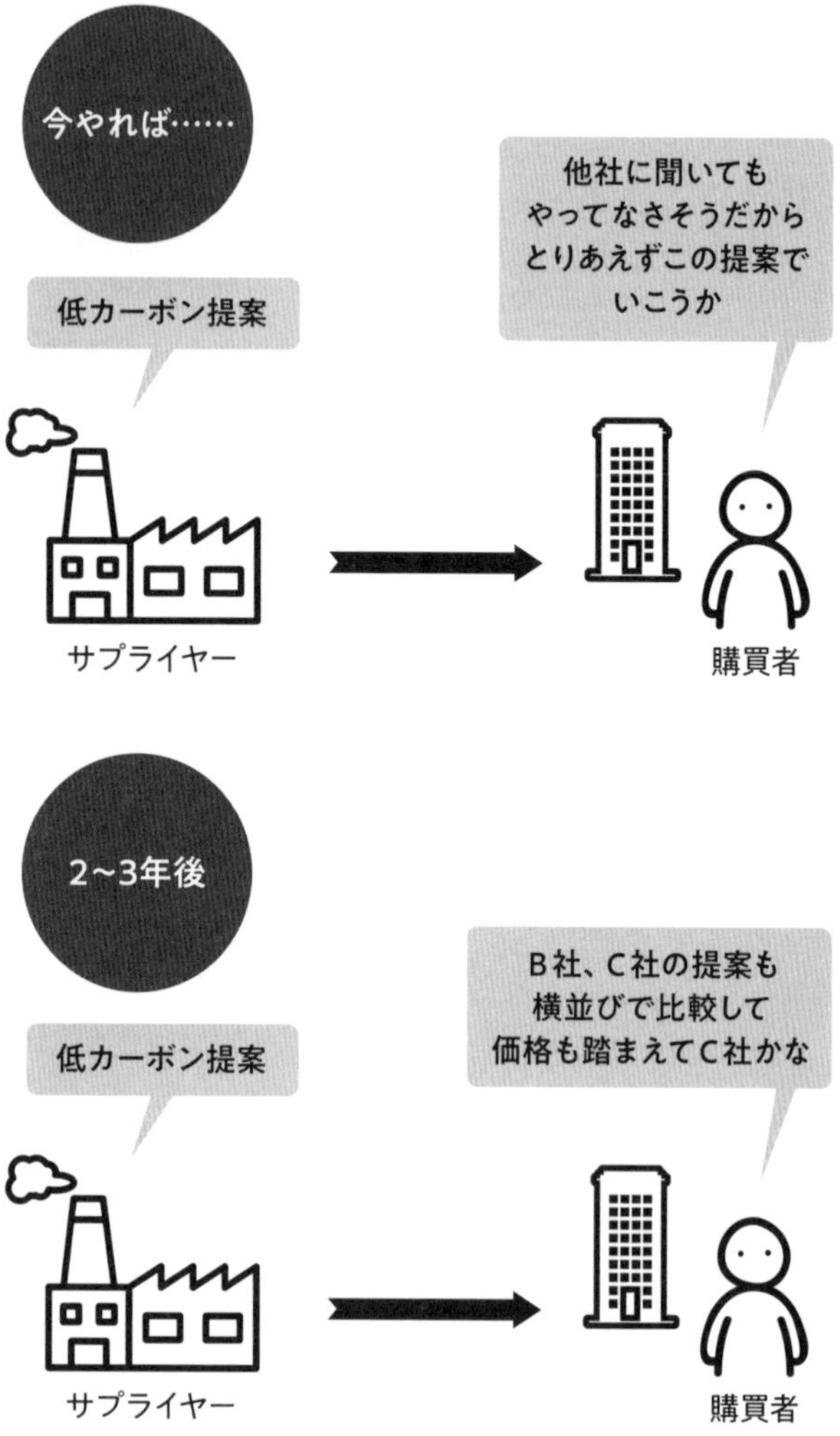

まだ誰もやっていないからこそ、今すぐ脱炭素に取り組みはじめることが重要です。競合他社がカーボンの価値に気づくまでの間が、既存の取引先との関係を深め、新たな取引先を獲得する絶好のチャンスです。それまでに、私たちが脱炭素の先進企業であることを定着させ、取引先を囲い込みましょう。

攻めのGX：脱炭素が大きな成長につながるという発想の転換

これまで、CO_2排出量削減の取り組みは価値を生み出さないもので、課せられた義務という位置づけでした。しかし、日本全体として脱炭素への機運が高まりはじめたことで、CO_2排出量削減の取り組みが価値を生み出す成長の芽という位置づけに変わりました。

これから先は、製品ごとにCO_2排出量が表示されるようになり、まもなくしてCO_2の排出規制がかけられる見込みです。世の中の大きな流れをざっくりと把握して、脱炭素の社会に適応するために発想を転換し、時代を先取りして準備を進めることで成長の機会をつかみましょう。

守りのGXから攻めのGXへ

守りのGX

国・取引先の要請に
最低限応える義務

CO_2排出量の報告
＋
省エネ活動、再エネ導入

攻めのGX

自社製品の低カーボンを
商品価値として提案し、
収益につなげる

コラム

大企業から下請け企業に対する脱炭素の押しつけは独占禁止法にあたるおそれ

下請け企業の脱炭素推進に関して、2023年3月、公正取引委員会は大企業が下請け企業に圧力をかけることを懸念し、次のような想定例をまとめ注意を喚起しています。

・大企業が下請け企業に温室効果ガス削減を目的とした要請をおこない、下請け企業が要請を実現するための必要なコストを負担した。下請け企業は、CO_2排出量の削減にかかるコストを価格に反映することができなかった。

・大企業からCO_2排出量の削減は社会公共的な目的であることを理由として、経済上の利益を無償で提供させられた。

・大企業が指定するCO_2排出量測定システムを導入しなければ、今後、発注しない旨を示唆され、必要のないシステムを購入させられた。

・大企業にCO_2排出量のデータを無償で提供したが、収集したデータへのアクセスは認

脱炭素の押しつけは独禁法違反の可能性

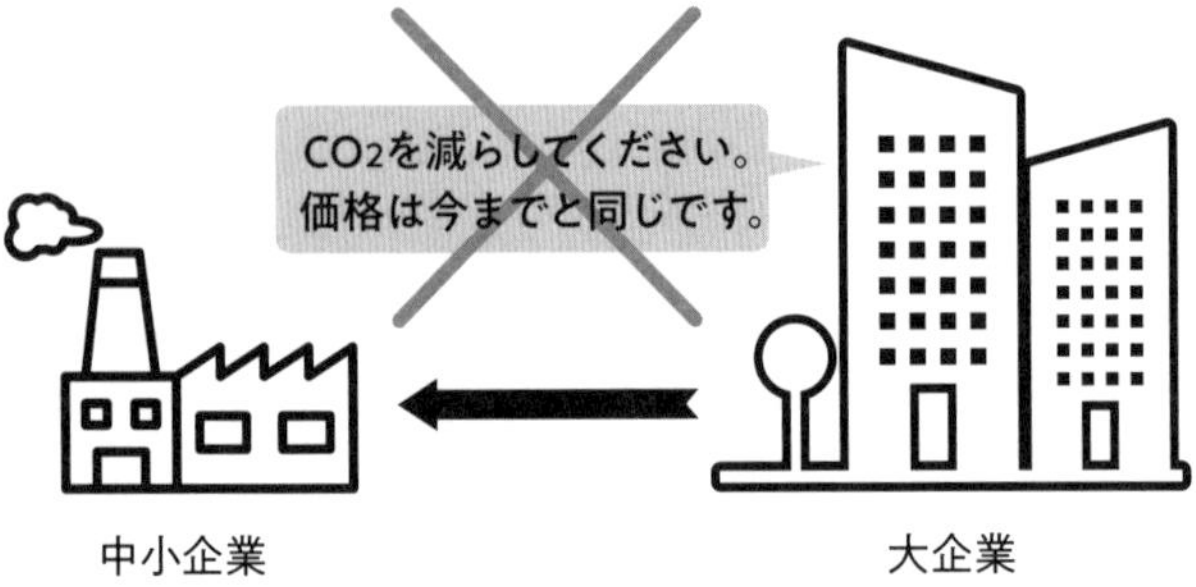
CO2を減らしてください。
価格は今までと同じです。
中小企業
大企業

められなかった。データの提供に関しては、下請け企業に相当程度の費用が発生するにもかかわらず、その費用を勘案した適切な対価が支払われず、かつ、収集したデータへアクセスさせないものであるため、下請け企業に不当に不利益を与えるものであると判断される。

・大企業からCO_2排出量を削減する仕様に基づいて従来品の発注があった。下請け企業はCO_2排出量を削減するため、原材料の調達にあたってコストが発生したが、価格交渉の協議がおこなわれることなく従来品と同じ取引価格に据え置かれた。

・大企業からCO_2排出量を削減するための新たな設備を導入すれば、発注を確約する旨の連絡があった。しかし、実際に設備を導入したにもかかわらず、大企業の都合により発注を取り消された。

大企業は下請け企業に対して、対価を払わずにCO_2排出量の削減を押しつけることは認められません。そのため、大企業が下請け企業に無償でできることは、CO_2排出量の努力目標を設けたり、カーボンニュートラルに向けた一般的な活動方針を定めたりする程度です。

このような面からも、中小企業の皆さんから大企業に積極的なCO_2排出量の開示や削減をおこなうことで、信頼関係を築くことができます。その結果をもって、低カーボン製品の価格交渉に臨むことが望ましいと考えています。

コラム

カーボンフットプリントの現在地

本章では、製品にCO_2排出量を表示するカーボンフットプリントが実装されることを前提として、カーボンデザインによるCO_2排出量削減のお話を進めてきました。ここでは、経済産業省と環境省が検討を進め、２０２３年３月に公表した「カーボンフットプリントガイドライン」の概要についてお伝えします。

カーボンフットプリントの目的は、顧客や消費者から脱炭素・低炭素製品が選択されるような市場をつくり出すことです。その基盤として、製品やサービスのライフサイクル全体でのCO_2排出量を明示するカーボンフットプリントの仕組みが不可欠とされています。

すでに大企業では、政府、投資家や金融機関、取引先、消費者などから、サプライチェーン全体でのCO_2排出量を開示する要請を受けています。これに応えるため、大企業からサプライチェーンの供給業者に対して、カーボンフットプリントを求める動きが広がりつつあります。

主なカーボンフットプリントの利活用シーンは次の通りです。

・政府によるカーボンフットプリントを活用した公共調達や規制
・投資家や金融機関による企業のCO_2排出量の把握や開示要求
・取引先のグリーン調達やカーボンフットプリントの開示、CO_2排出量削減の要請

カーボンフットプリントガイドラインに記載されている算定のイメージ

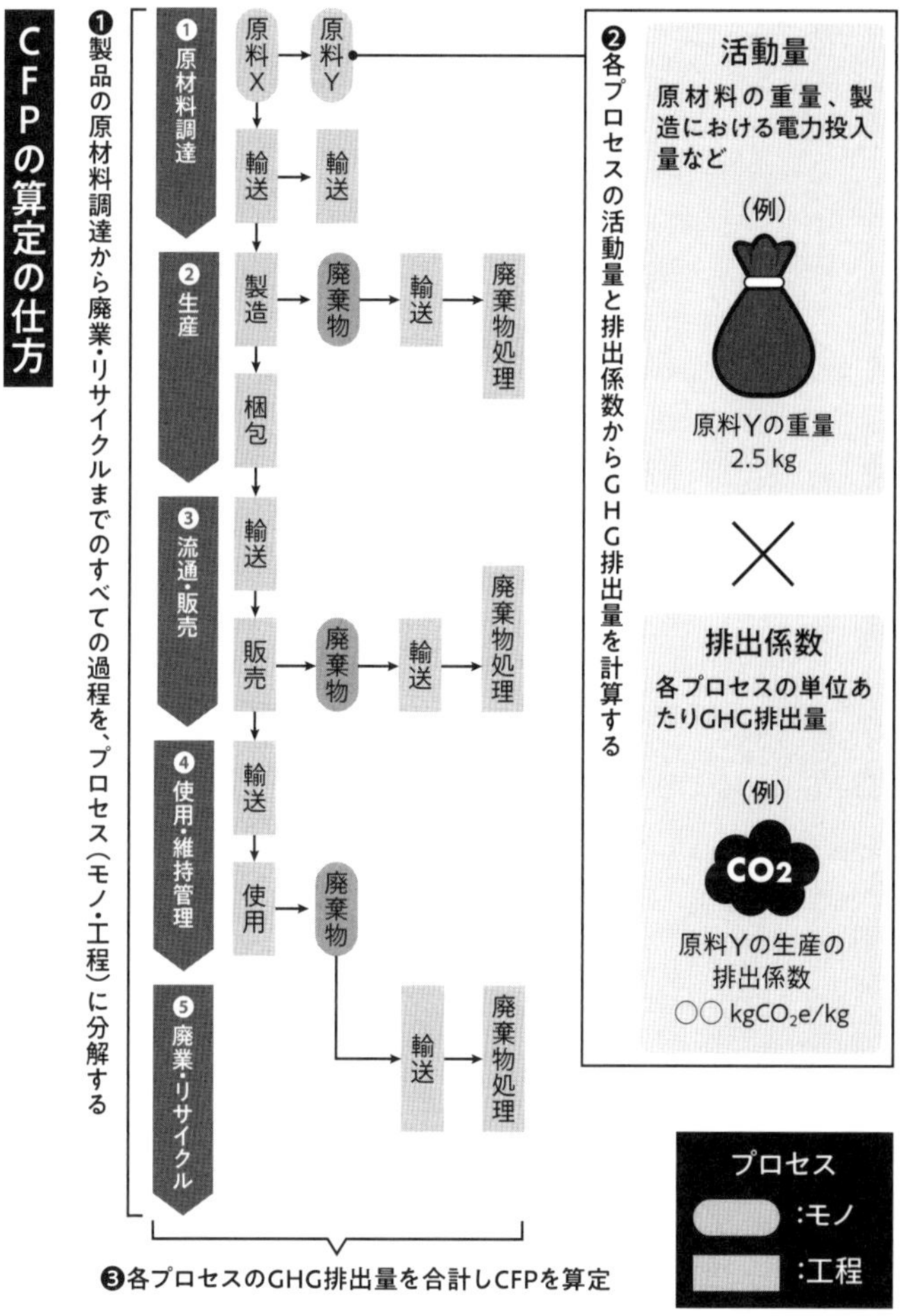

・取引先から消費者に向けた脱炭素に関する企業ブランディングや製品マーケティング

カーボンフットプリントの取り組みにあたっては、正確性に課題があります。CO_2排出量の算定方法には、直接測定した実測値とデータベースの値を用いた推計値の2種類がありますが、現状では実測値で計算する難易度やコストが高いため、推計値で計算することが一般的になっています。しかし、推計値で計算した場合、サプライチェーンの供給業者がCO_2排出量の削減に取り組んだとしても、サプライチェーン全体のCO_2排出量に反映されないという致命的な問題があります。

経済産業省および環境省の見解としては、短期的にはまず簡易な推計値での算定に取り組み、中長期的にはより確からしい実測値での算定に取り組むことが望ましいとしています。このことから、今後は実測値で計算できるような環境を整備していくものと考えられます。

中小企業においては、カーボンフットプリントの取り組みは限定的ですが、サプライチェーン全体の中でカーボンフットプリントの算定・開示を求める動きは少しずつ拡大しています。現状は、CO_2排出量の削減努力に対して得られる恩恵が少ないため、政府が補助金などを含めた支援を検討しているという段階です。

カーボンフットプリントは、カーボンニュートラルの社会に欠かせない仕組みであり、遅かれ早かれ導入されることになります。取引先から選ばれるためにも、事前に準備を進めておくことが大切です。

第4章

GXブランディングで人手不足を解消

1
未曾有の人手不足時代に突入

消えゆく日本の労働人口

日本は少子高齢化により人口減少を迎えており、特に労働人口の減少が深刻化していま す。日本の15～64歳の生産年齢人口は、最も多い1995年の8716万人から2021年の7450万人まで約1200万人減少しています。一方で、実際に働いている就業者数は1995年の6418万人から2021年の6713万人へと約300万人増加しています。これは、女性の社会進出と高齢者の継続雇用によるものです。労働参加率（生産年齢人口に占める就業者数と完全失業者の割合）は、1995年の71・5％から2021

進む高齢化、減りゆく人口

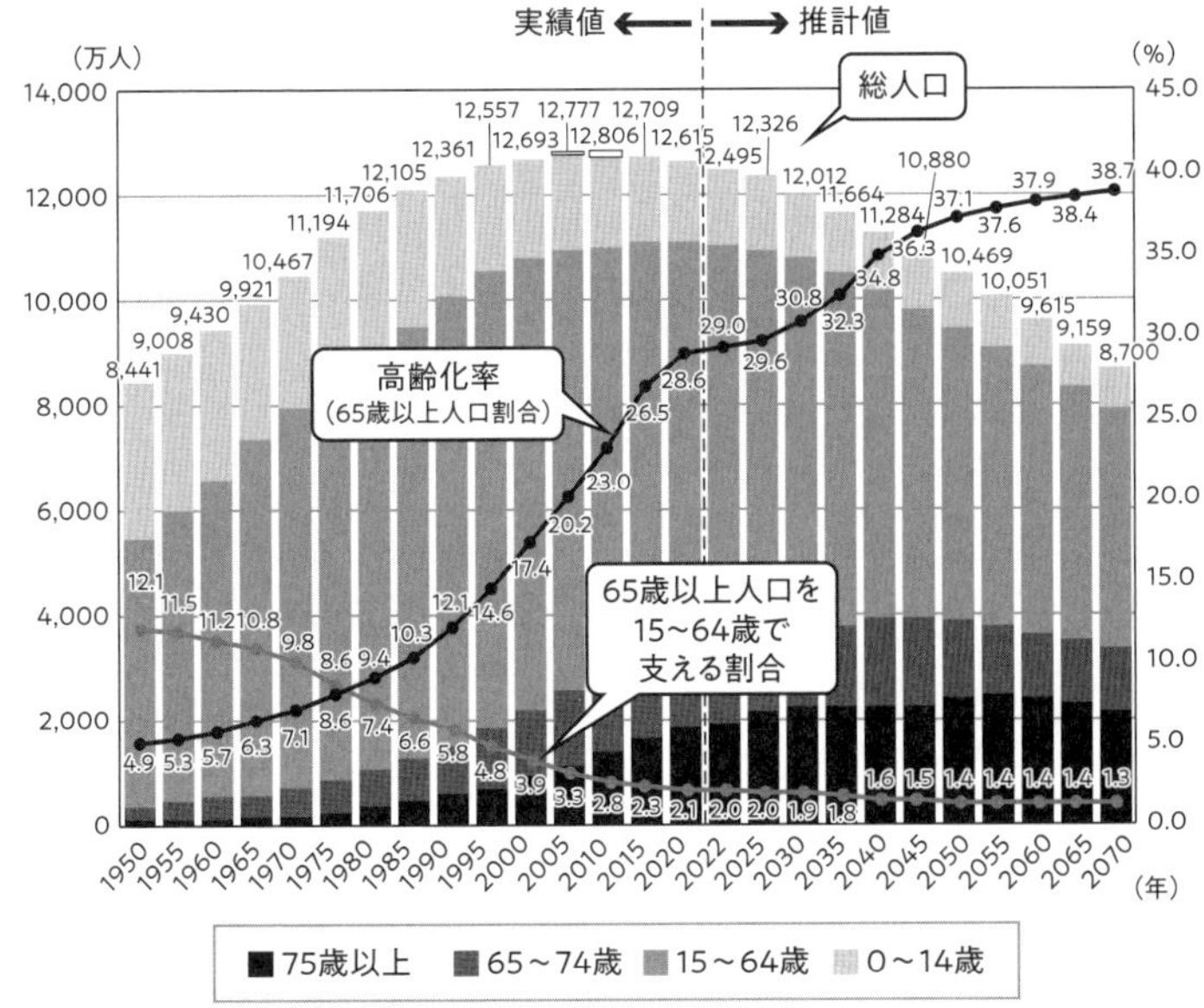

出所：総務省統計局「令和５年版高齢社会白書」

年の80・1%まで増えており、これ以上の大幅な上昇は難しい状況です。

今後も労働人口はさらに減少することが見込まれています。私は団塊ジュニア世代で200万人の同級生がいますが、2023年の18歳の新成人は112万人しかいません。さらに、2022年に生まれた子どもの数は過去最少の77万人です。15年後の労働人口は、現段階で生まれた子どもの数から計算すると確実に予測できます。これらを踏まえると、今後は中長期にわたって人手不足の状況が続くことになるのは明白です。

こうした中で、すでに中小企業では人手不足が深刻な状況にあります。日本商工会議所と東京商工会議所の２０２３年調査によると、人手不足の状況についての質問に「人手が不足している」と回答した中小企業の割合は68・０％であり、２０１５年の調査開始以降、最大となりました。そのうちの64・1％が「非常に深刻」（人手不足を理由とした廃業などまたは「深刻」（事業運営に支障）と回答しています。人材確保に向けた取り組みとしては、「賃上げの実施、募集賃金の引き上げ」と回答した企業が72・５％となっていますが、従業員規模が小さい企業ほど人手不足の深刻度が高く、人材の採用に苦戦しています。私と仲の良い社長の方々からも、新卒採用の現場で「人がなかなか採用できない」という声が上がっており、人材の確保が困難な時代に突入しているといえます。

生産力が企業の成長を左右する

さらに、これからは就業者自体が減っていくため、中途採用すらままならない状況になることが予想されます。人を採用できない状況が続くと、生産能力の低下を招きます。取引先から新たな事業機会が訪れたとしても、それに応えることができなくなります。最終的には企業の成長を阻害し、人手不足倒産となってしまいます。

同じように、全国の製造業も人材不足の悩みを抱えています。人手不足の企業が増えるということは、需要があるにもかかわらず供給力が足りないことを意味します。製造業に特化した受発注プラットフォームを手掛ける株式会社キャディの調査によると、製造業従事者が調達・購買で重視した観点は、２０１８年は調達原価の低減が50・７％、納期遵守が32・５％、調達先の品質改善が30・４％でしたが、２０２２年は納期遵守が41・８％、調達先・生産キャパシティの確保が38・６％、調達原価の低減が37・９％となりました。また、最適な安全在庫の設定も２０１８年の23・２％から２０２２年の34・６％まで大幅に増えています。これらのことから、現在は調達原価よりも安定した供給能力が求められていることが読み取れます。

コンサルティングの現場でも、兵庫県の中小企業や香川県の中小企業が、関東地方の大型物流倉庫の建築に必要な鉄骨製品を供給しているというお話を耳にします。一般的には重たい金属製品を遠隔地から調達するようなことは、これまでほとんどあり得ない話でしたが、関東地方の多くの企業が生産キャパシティをオーバーしており、製品をつくれる企

調達原価削減よりも生産キャパシティや納期が遵守される時代に

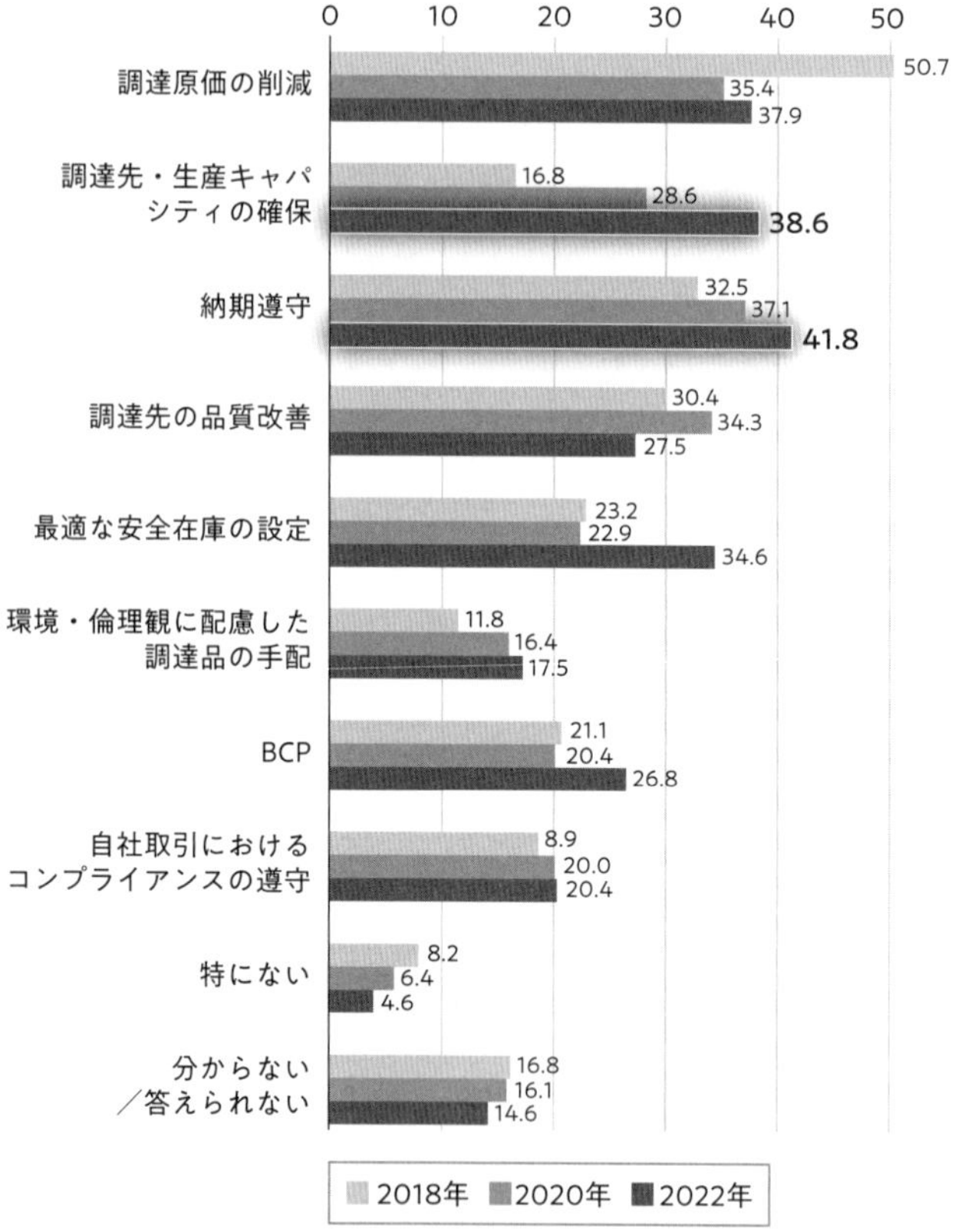

2018年、2020年、2022年に調達・購買で重視した観点
複数回答可、単位は％（出所：キャディ）

業がないため、需要に供給が追いつかず、取引先が調達範囲を広げているとのことでした。
これまでは低価格で製品を提供できる企業が強い時代でしたが、これからは生産力を持つ企業が勝つ時代に変わります。

リスクを取って従業員を確保する

本格的に人手不足の問題が顕著になる前に、従業員を数多く確保しておくことをおすすめします。それだけ人を確保しても仕事はあるのかと問われると、正直に社長の腕次第だとお答えするしかありません。しかし、仕事が増えたときに「人がいないのでできません」と断っていては、会社の成長は見込めません。

私が経営する会社でも、2019年まで従業員は6人でしたが、採用活動の強化や企業の合併・買収などにより2023年時点で従業員を60人まで増やしました。これによって、産業用ロボットシステム事業や工作機械の販売事業、中小製造業向け営業代行・共同購入事業、脱炭素事業など、新たな事業を立ち上げています。

もし将来的に会社を成長させようと考えるのであれば、積極的に人材への先行投資をおこない、成長の機会に備えましょう。

2 若い世代ほど脱炭素／環境を重視する

環境意識の高い若い世代

若い世代は、私たちと比べて環境への意識が高い傾向にあります。株式会社電通の調査によると、18～29歳の若い世代は「気候変動の影響減や、社会課題に取り組む企業の商品を選ぶ」「企業倫理に問題がある企業の商品を買わないようにしている」と回答した割合が日本全体の平均割合よりも高くなっています。

そのことを象徴する例が、メルカリなどのフリマアプリです。フリマアプリ市場は、２０１０年代に入ってから登場し、２０２１年時点の市場規模は１兆２４３３億円と急成長しています。このうち、流通総額7845億円を占めるメルカリでは、利用者の36％が10～20代の若い世代です。株式会社メルカリの調査によると、10～20代の若い世代は「メルカリを使うことはサステナブルだと思う」と回答した割合が高く、10代の約8割が「とても当てはまる」「やや当てはまる」と回答しているとのことでした。

もちろん、若い世代がフリマアプリを使う一番大きな理由は安く買えることですが、不要になったものは捨てないでフリマアプリで売るという消費行動が定着していることも事実です。このことから、若い世代は普段の生活の中で環境問題の解決のために行動しているといえそうです。

就職先企業を決定した理由の1位は社会貢献度

若い世代の高い環境意識は、消費行動に限った話ではありません。大手就職情報会社の株式会社ディスコの調査によると、若い世代が就職先企業を決定した理由のうち、「社会貢献度が高い」が「給与・待遇が良い」を上回っています。

企業の社会貢献度を判断する要素は「企業理念」が最も多く、次いで「ビジネスモデル」「従業員に対する姿勢」「顧客／消費者に対する姿勢」「共有価値の創造／環境・社会・企

商品を販売している企業の活動や倫理観を考慮

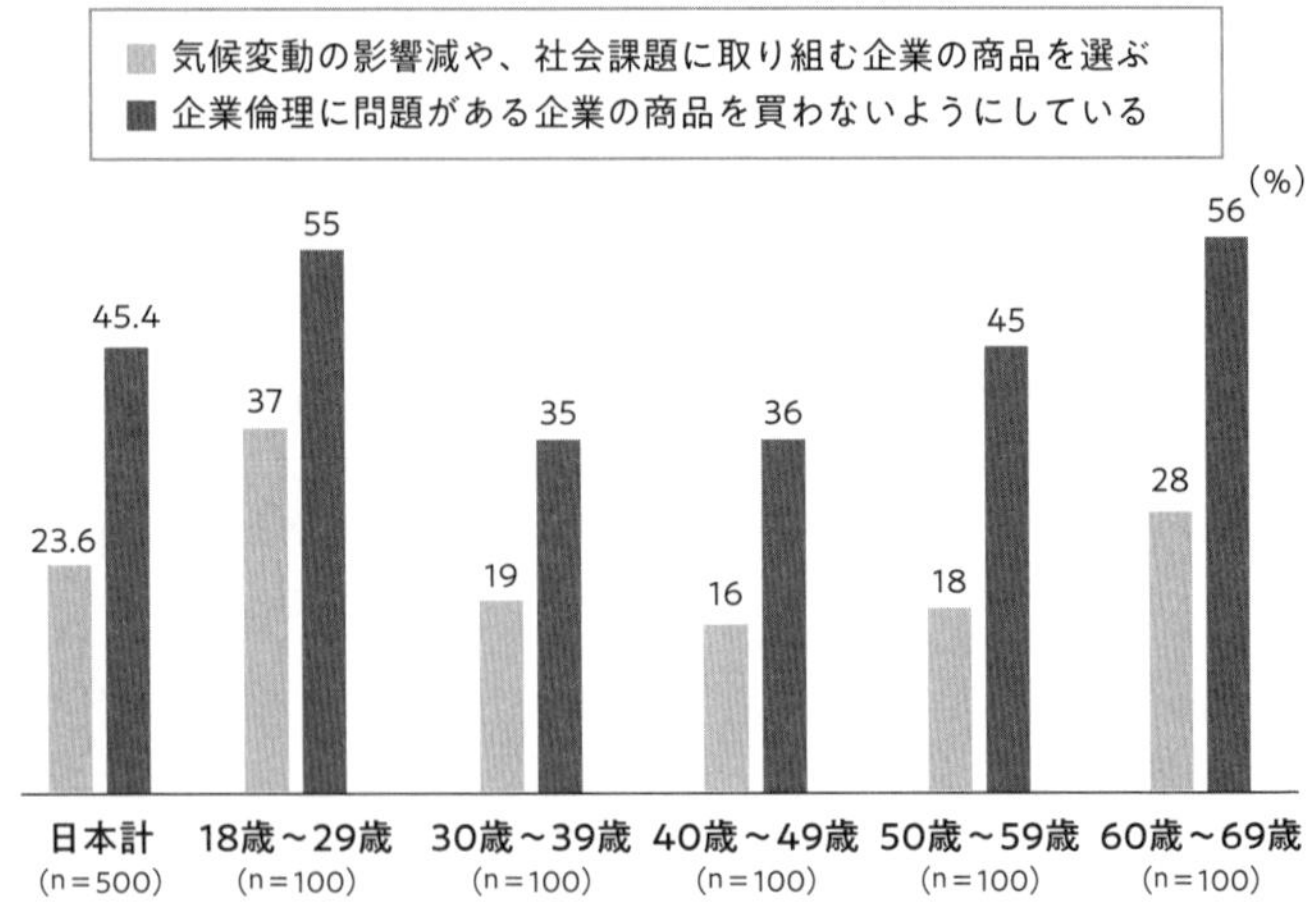

＊「常に」「大体」「時々」「めったにない」「まったくない」までの５段階で聴取、
上記は「常に」＋「大体」の合計

出所：電通報「エシカル消費をリードする日本の若年層。その消費と価値観に迫る！」

業統治／持続可能な開発目標などの取り組み」と続きます。企業の社会貢献度と就職志望度の関連性について尋ねると、6割超が社会貢献度の高さが志望動機に影響したと回答しています。

なお、若い世代の求職者は就職サイトの採用ページから就職先企業を探し、企業のホームページを見て社会貢献度を調べています。企業のホームページがない場合は、その時点で就職先企業の候補から外れてしまう可能性が非常に高いのです。そ

就職先企業を決定した理由

就職活動を終了した学生に、就職先企業を決定した理由を、30項目の中から5つまで選んでもらった。最もポイントを集めたのは「社会貢献度が高い」(34.3%)。年々ポイントが増加しており、就職先企業の決定に与える影響度合いが増していることがわかる。

(%)

2020年卒者		2021年卒者		2022年卒者	
社会貢献度が高い	29.4	社会貢献度が高い	30.0	社会貢献度が高い	34.3
給与・待遇が良い	27.0	将来性がある	28.5	給与・待遇が良い	27.4
将来性がある	26.0	職場の雰囲気が良い	26.5	将来性がある	27.0
仕事内容が魅力的	25.8	給与・待遇が良い	25.9	有名企業である	26.2
福利厚生が充実している	24.6	福利厚生が充実している	25.5	福利厚生が充実している	24.0
有名企業である	22.5	大企業である	23.6	大企業である	22.4
職場の雰囲気が良い	22.4	仕事内容が魅力的	23.1	仕事内容が魅力的	22.0
大企業である	22.4	有名企業である	21.2	職場の雰囲気が良い	21.8
休日・休暇が多い	19.6	希望の勤務地で働ける	20.1	希望の勤務地で働ける	21.6
希望の勤務地で働ける	19.5	業界順位が高い	19.4	業界順位が高い	20.2

出所:キャリタス就活学生モニター調査(2019年8月調査、2020年8月調査、2021年7月調査)

のため、人材の採用活動をおこなう前に、自社のホームページを作成し、脱炭素に取り組む姿勢を社外に発信していくことを強くおすすめします。

3 若い世代にカーボンニュートラルの取り組みをアピールする

環境に配慮することで人材を確保した事例

環境に配慮することで自社のブランディングや従業員の雇用に成功している株式会社二川工業製作所の事例をご紹介します。

株式会社二川工業製作所は、本社が兵庫県加古川市にある従業員約270名の板金工作物製造業の企業です。油圧ショベルをはじめとする建設機械装置の作動油タンク、その関連部品の製造業務を軸に幅広く事業を展開しています。同社は2014年から太陽光発電事業をおこなうなど早いタイミングから再生可能エネルギーに目をつけていました。

使用電力の再生エネルギー100%化に取り組むきっかけとなったのが、2019年10月の台風19号でした。同社の顧客が台風の被害により操業停止に陥り注文が止まってしまい、資金繰りに困る中で、環境配慮型の融資を受けるために取り組みを始めたのが第一歩で、2020年には国内の環境認証の1つ「再エネ100宣言RE Action」に参画しました。当初はこのようなやや不純な動機で始めた環境への取り組みでしたが、「再エネ100宣言RE Action」に参画する他企業と情報交換をおこなうにつれて、脱炭素に取り組むことが自社の将来にとって重要だという認識を強く持つようになり、本格的に取り組むことになりました。

環境に配慮する株式会社二川工業製作所

具体的には、電力契約を再エネ

電力に切り替えたほか、ブロックチェーン技術を活用したトラッキングシステムにより自社が所有している遠隔地の太陽光発電を自社工場で消費したことにするといった取り組みを推進しました。特に後者の取り組みは、一般家庭1700世帯分の年間使用電力に相当する年間600万キロワットアワーの自社使用電力を100%再生エネルギーに転換するというもので、当時、日本初の規模でした。このような取り組みが評価され、2021年のグリーン購入大賞で優秀賞を取ったほか、書籍や新聞などのメディアに取り上げられたり、兵庫工業会や加古川市など各所からの講演依頼が多く来るようになりました。また、これらのメディアを見た新たな取引先からの引き合いも増え、脱炭素ブランディングの波及効果が広がっています。

さらに直近では、環境や脱炭素の取り組みが採用状況にも大きく影響を与えました。メディアで多く取り上げられるにつれて、大学生向けの就活本や大学にある求職検索サイトで環境に優しい事業をおこなっている企業という評判が定着し、2022年の求人では、それまで10名前後だった新卒求人応募者数が20倍以上に増えました。2023年の求人でも引き続き多くの応募があり、採用難が続く中小企業においては珍しいくらい採用がうまくいっています。

二川工業製作所の事例

就職活動者を対象にした採用ブログ発信

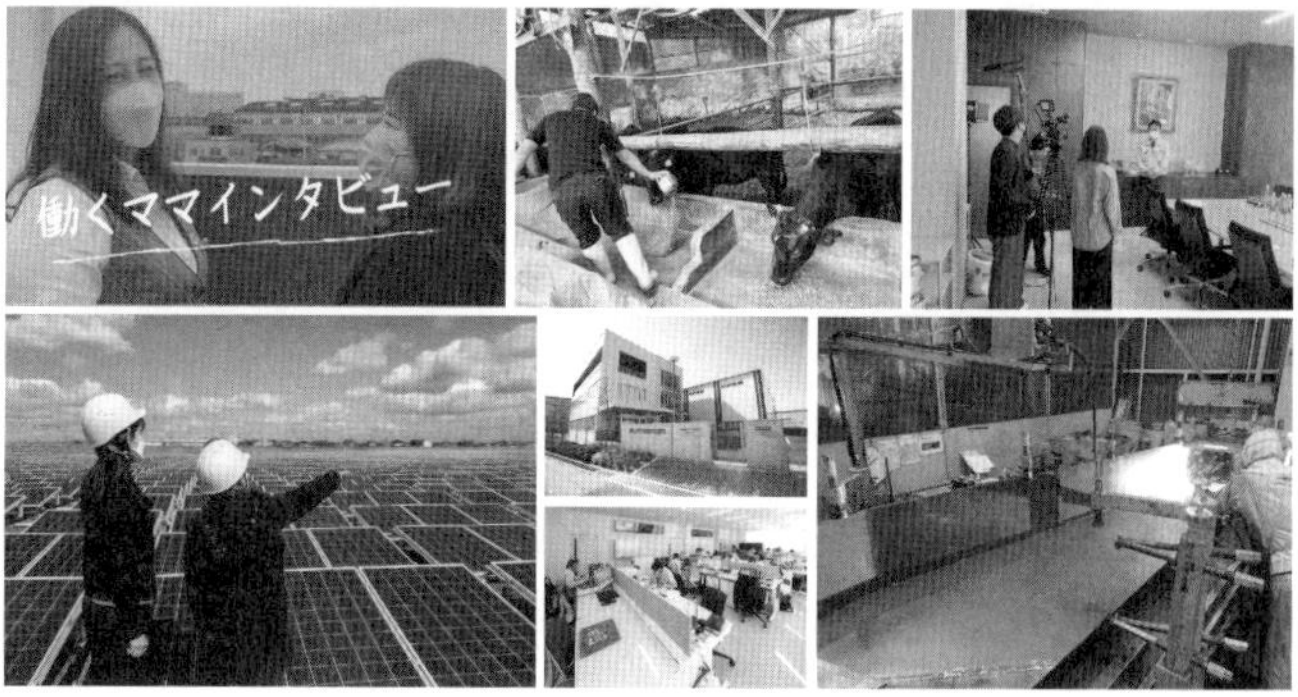

求人応募者が急増

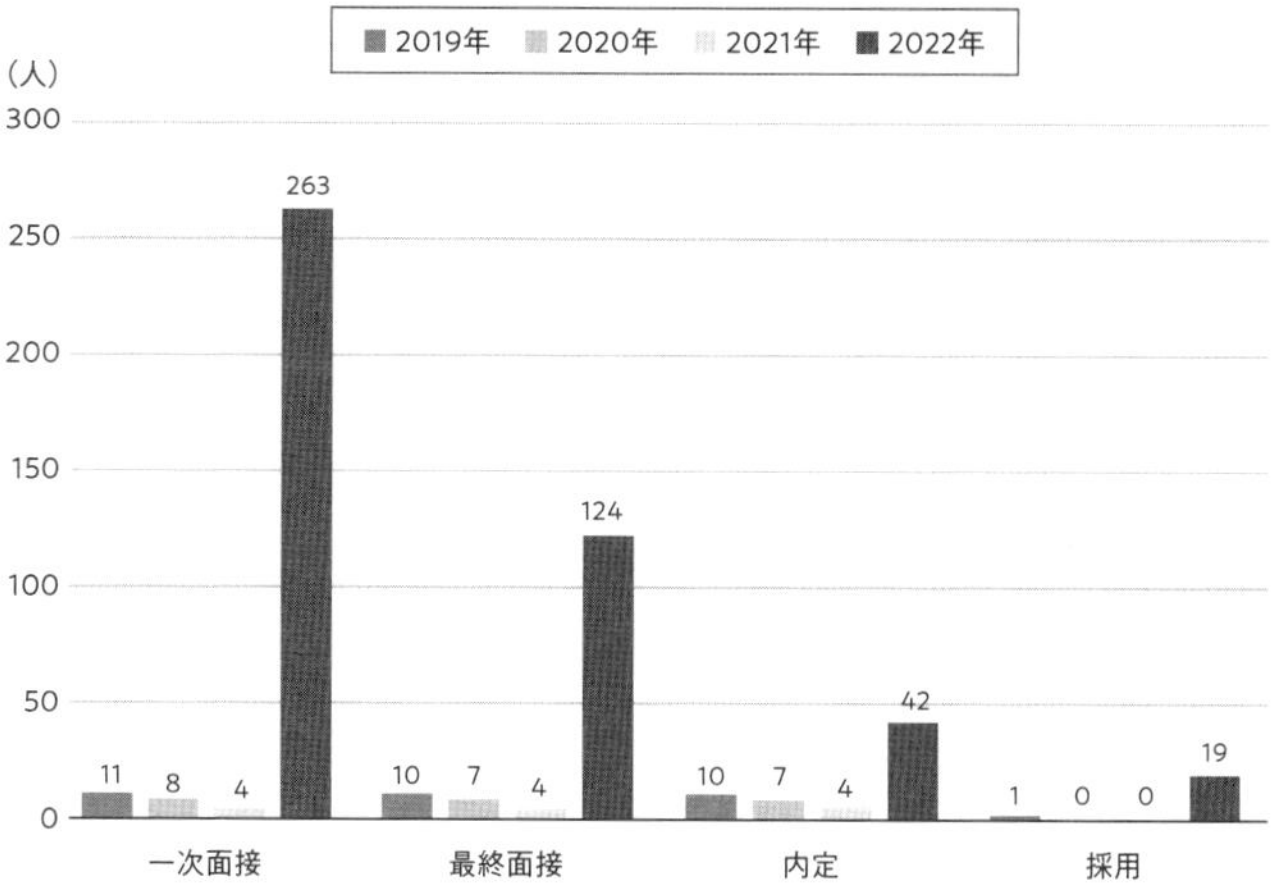

自社の脱炭素の取り組みをホームページでアピールする

私が経営する会社でも、ホームページに脱炭素への取り組みに関するページを作成し、脱炭素に関する考え方やCO_2排出量と削減目標、脱炭素への取り組み内容を掲載しています。

実際に採用した従業員に志望理由を尋ねたところ、残念ながら脱炭素への取り組みを理由に志望された方は今のところいませんでしたが、企業の将来性を判断する1つの要素として脱炭素の取り組みを確認したという声を複数の従業員から聞くことができました。

繰り返しになりますが、カーボンニュートラルは、全企業、全人類にとって避けては通れません。競合他社に先駆けてカーボンニュートラルに取り組み、自社のホームページで公表することで、求職者からの企業の将来性の評価が高まります。その結果、求職者の応募数を増やすことができ、採用活動を有利に進められます。

ゼロプラスのホームページ――脱炭素への取り組み内容

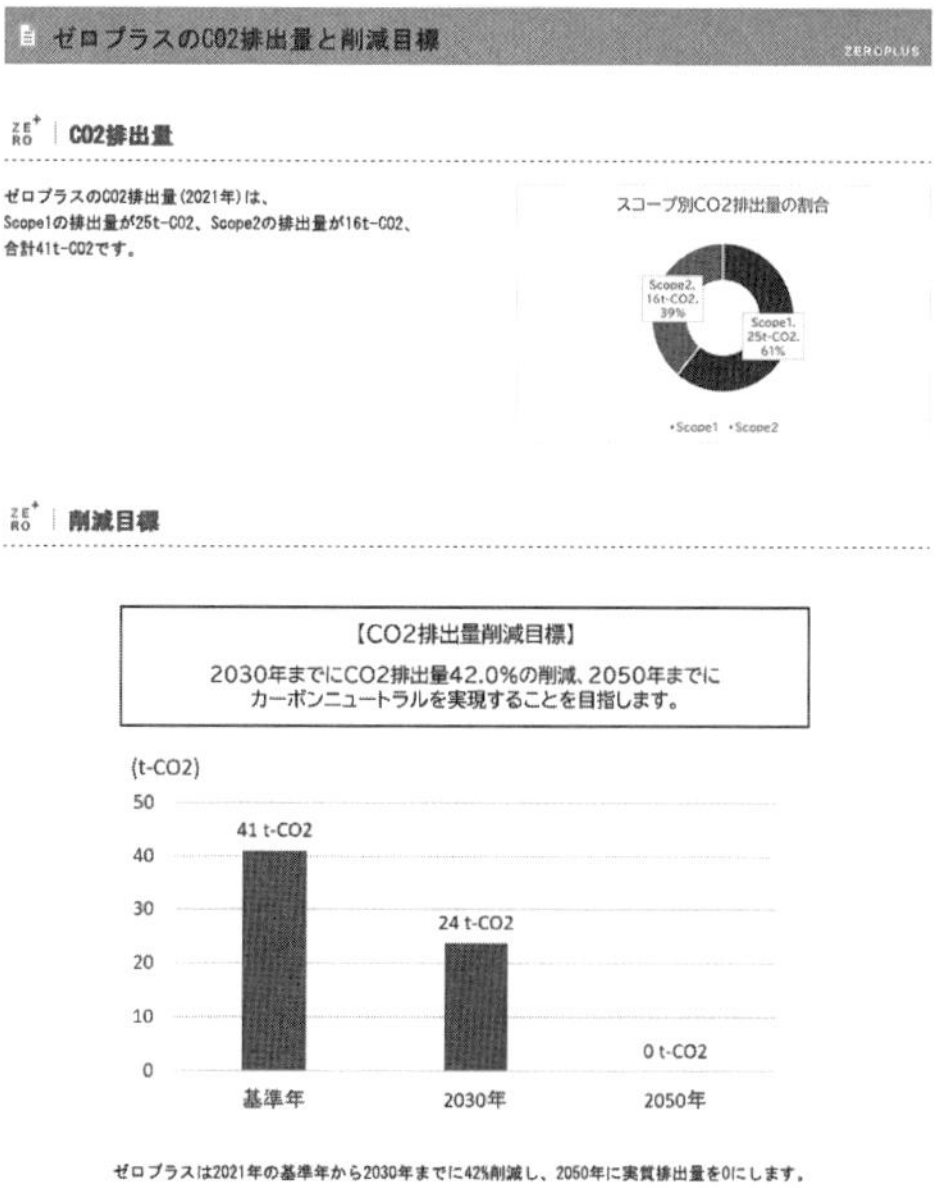

ゼロプラスが運営するCO2比較.com

コラム

従業員に利益を還元することが最も大切

カーボンニュートラルの取り組みを公表することで、これまでよりも求職者の数を増やすことはできます。しかし、採用した従業員に働き続けてもらうためには、「給与・待遇が良いこと」が欠かせません。

就職情報サービス会社の株式会社学情の調査によると、20代の転職理由の第1位は「給与・年収をアップさせたい」であり、次いで「もっとやりがい・達成感のある仕事がしたい」「残業を減らしたい、休日を確保したい」と続きます。

私の会社でも2020年ごろからインフレ対策として全社員の一律賃上げを3回実施したのですが、これによって社員の定着率が向上しました。人が働く理由はお金のためだけではありませんが、仕事内容や人間関係に満足していたとしても、転職したら月給が5万円上がるといわれれば、考えてしまうのが人間です。

おすすめなのは、求人サイトで近隣企業の採用情報をチェックしておくことです。自社の給料がほかと比べて低いようであれば、他社に良い人材を奪われてしまうかもしれません。社長はそれくらいの危機感を持っておくべきだと考えます。

▍転職しようと思った理由（3つまで回答可）

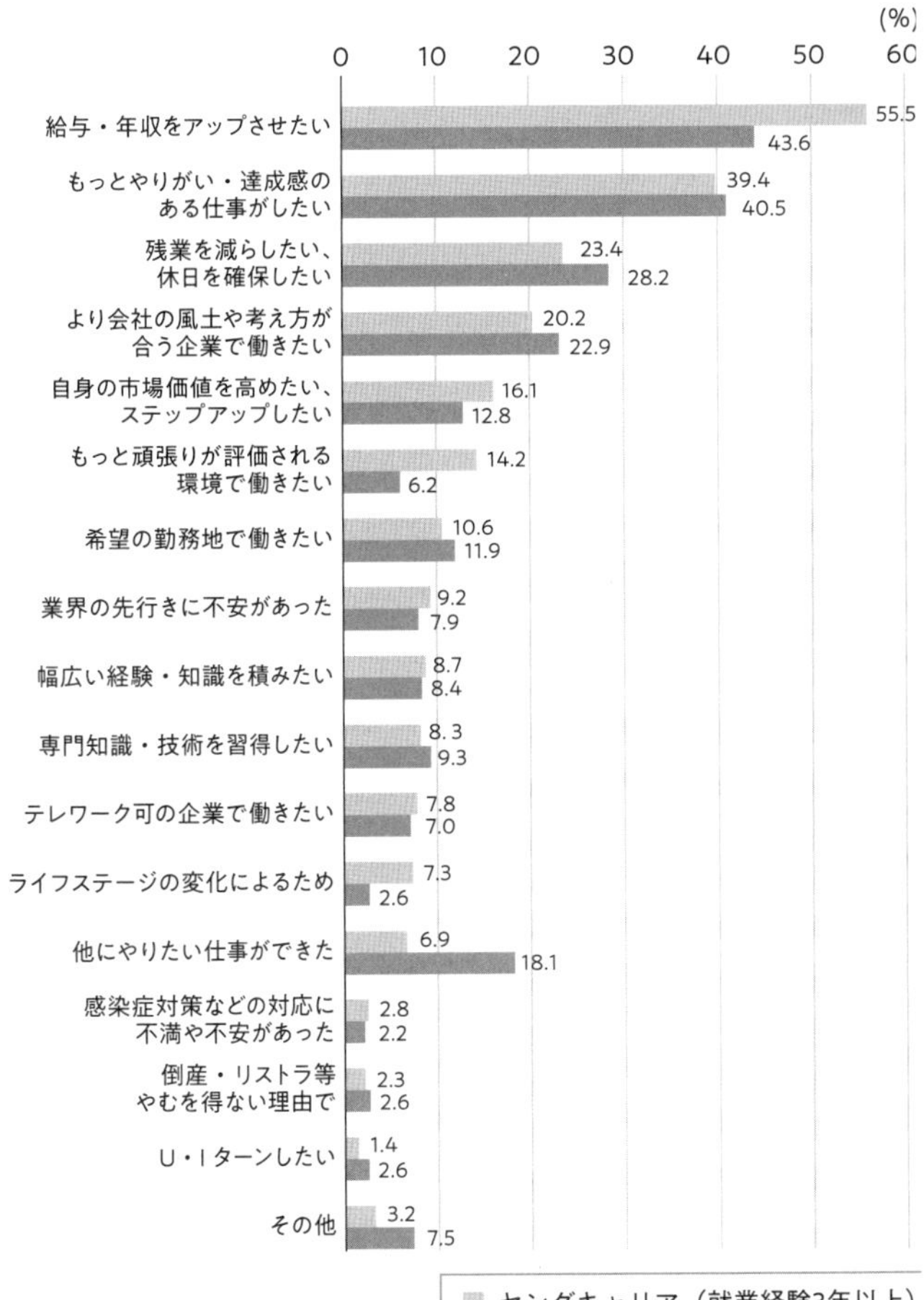

出所：20代専門転職サイトNo.1「Re就活」のアンケート結果

その人が抜けたら仕事が回らなくなるような大切な人材を引き留めておくためにも、従業員に利益を還元するようにしましょう。

第5章

脱炭素に向けて第一歩を踏み出そう

1 最初にやるべきは世の中にGXへの取り組みを宣言すること

世論から認められることでメリットを享受できる

取引先から選ばれるためには、カーボンニュートラルに対する姿勢や、目標達成に向けた内容など、自らの脱炭素の取り組みを開示する必要があります。

実例として、空調機器関連製品の設計、部品加工、製品組立などをおこなう島田工業株式会社（群馬県伊勢崎市）では、ホームページ（https://www.shimadaind.jp）に環境への取り組みを掲載し、ＳＤＧｓ（Sustainable Development Goals：持続可能な開発目標）やＳＢＴ（Science Based Targets：パリ協定が求める水準と整合した、企業が設定する

島田工業のホームページ

SBT認定を取得しました

島田工業は、中小企業向け SBT（Science Based Targets）認定の温室効果ガス排出量を、2020 年度比で 2030 年度までに総排出量の 42%を削減する目標を設定し、2023 年 1 月に SBT の認定を取得しました。
脱炭素社会への取り組みを推進し、継続的な温室効果ガス排出量削減を実現して参ります。

2023 年 1 月 10 日　環境省の HP「SBT 認定取得済みの日本企業」に掲載されました。

島田工業の目標達成に向けた取り組みとして、
【2020 年比】
①2030 年までの温室効果ガスの排出量（Scope1.2）42%の削減（1.5%水準）
②2050 年再生エネルギー 100%の実現を目指します。

ハイブリット車・EV 車等への入れ替えや、太陽光発電による自家消費を推進し、SBTの認定と温室効果ガス削減を通じて、以下のSDGs項目に貢献いたします。

4. 質の高い教育をみんなに
8. 働きがいも経済成長も
9. 産業と技術革新の基盤をつくろう
11. 住み続けられるまちづくりを
12. つくる責任、つかう責任
13. 気候変動に具体的な対策を
17. パートナーシップで目標を達成しよう

島田工業は持続可能でカーボンニュートラルな社会の実現を目指し、より一層の社会貢献に努めてまいります。

「1 分で伝える SBT の話」
01　なぜ中小製造業が SBT に登録したのか
02　中小企業は scope3 に取り組まなければ取引できなくなる?!
03　島田工業が SDGs に取り組む理由とは
04　中小製造業は脱炭素に取り組まないと人は集まらない
05　どうしたら中小企業でも SBT 認定取得できるのか
06　SDGs の自販機導入の経緯とは?
07　RE100 と SBT の違いとは?
08　SBT と事業再構築補助金
09　SBT の費用と評価

（※RE100 とは、Renewable Energy 100% の略であり、事業運営に必要なエネルギーを 100% 再生可能エネルギーで賄うことを目標とするものです）

温室効果ガス排出削減目標）の専用ページを公表しています。前ページは、島田工業株式会社のSBTページに記載されている内容です。

皆さんがどれほど素晴らしい脱炭素の取り組みをおこなっていたとしても、情報を開示していなければ、取引先から評価を得ることはできません。カーボンニュートラルの取り組みによるメリットを享受するためには、積極的に情報を開示することが大切です。

CO_2排出量削減ステップ――ダイエットを例にした削減アプローチ

では、どのように脱炭素の取り組みを進めていけばよいのでしょうか。中小企業の経営者や従業員の方々に対して「カーボンニュートラルに向けて、まず何から始めますか」と尋ねると、よく「社内で省エネルギー活動を進めます」とか「電気自動車を導入します」といった答えが返ってきます。もちろん、これらも非常に素晴らしい取り組みです。しかし、私たちがカーボンニュートラルに取り組む目的は、取引先から選ばれることであることを忘れてはいけません。

CO_2排出量の削減ステップは、ダイエットに似ています。ダイエットを始めるときにいきなり走りはじめたり、食事制限をしたりするでしょうか。ダイエットでは、まず体重

排出量削減ステップ

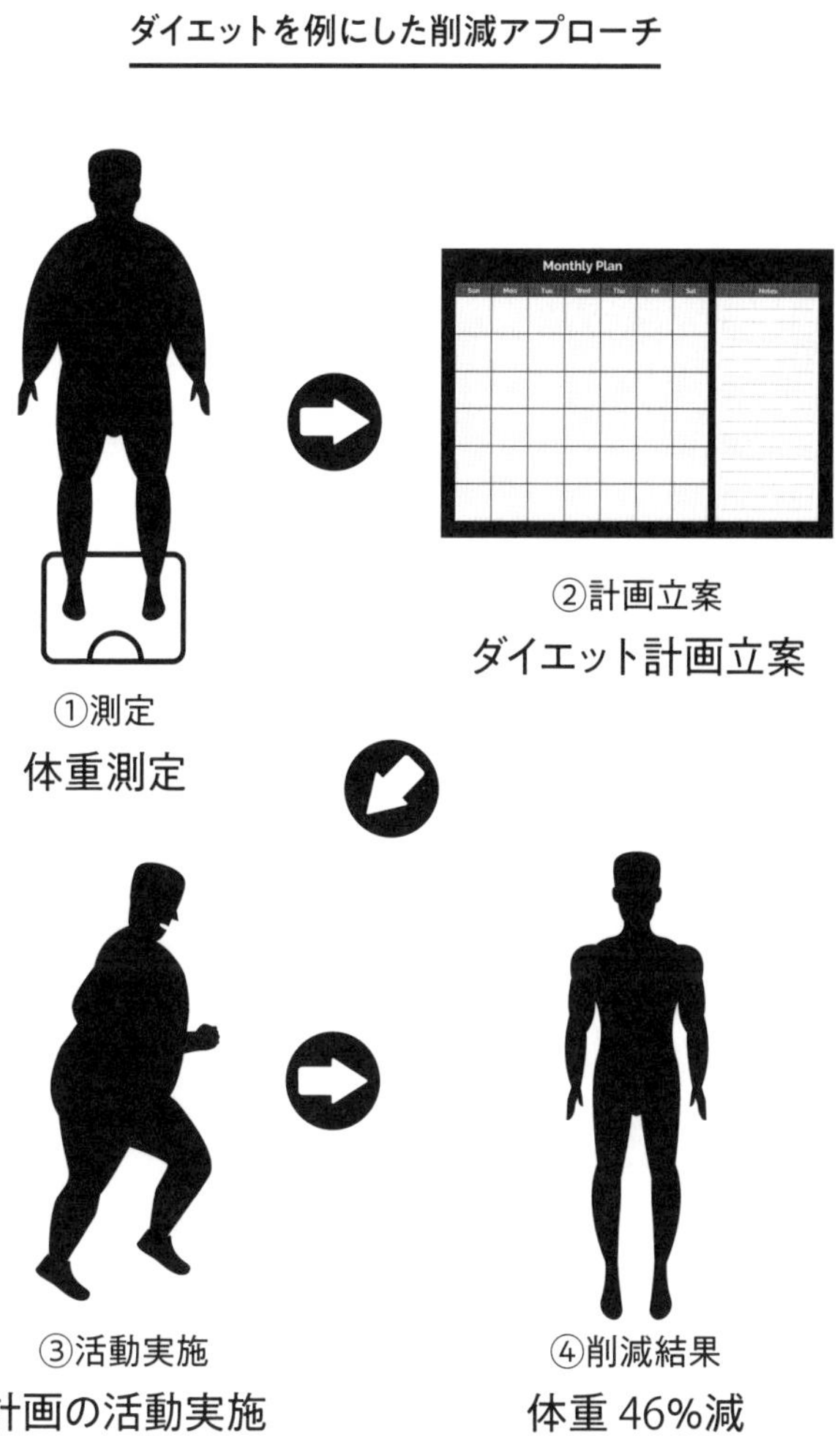
ダイエットを例にした削減アプローチ
Monthly Plan
①測定
体重測定
②計画立案
ダイエット計画立案
③活動実施
計画の活動実施
④削減結果
体重 46%減

を測定します。現在の体重を把握しなければ、減量目標の設定や、ダイエット効果の評価をすることができません。

次に、具体的な削減目標と期間を設定し、計画を立てます。例えば、現在の体重が70キロで、３カ月後の目標体重を67キロと設定した場合、１カ月あたり１キロの体重を落とす計画を立てればよいことになります。その上で、計画に沿って食事制限や運動などの活動を実施します。このとき、家族や友達にダイエットを宣言し、途中経過を共有することが長続きするポイントです。そして、ついに削減結果が現れます。

CO_2排出量の削減ステップも同様です。自社のCO_2排出量を計測し、具体的な目標と期日を決めて計画を立て、公に宣言して省エネ設備への更新や太陽光発電の導入などをおこないます。

なお、CO_2排出量の削減目標は、日本政府の目標を参考に、２０３０年までに２０１３年度比46%削減、２０５０年に実質ゼロを設定することが望ましいです。私が経営する株式会社ゼロプラスの公表値の例でいうと、取引先に向けて「現在のCO_2排出量41トン、目標は２０３０年までにCO_2排出量23トン、２０５０年までにCO_2排出量実質ゼロ」というように具体的な目標を宣言し、それに対して責任を持つことが求められます。

国際基準に準拠したCO_2排出量の算定範囲

以前の章でもお伝えした通り、現状のCO_2排出量の把握にあたっては、算定範囲を明示する必要があります。この範囲を「スコープ（Scope）」と呼び、国際的な算定・報告基準で定義されています。

・スコープ1　燃料の燃焼：事業者自らによるCO_2の直接排出量
・スコープ2　電気の使用など：他者から供給された電気、熱・蒸気の使用に伴う間接排出
・スコープ3　スコープ1、スコープ2以外：事業者の活動に関連する他者の排出

自社のCO_2排出量は、燃料費や電力料の取引明細などを参照することで概ね把握できます。ただし、本質的な問題はスコープ3と呼ばれる上流や下流におけるCO_2排出量の取り扱いです。米アップル社や独シーメンス社は、原材料の仕入れから製品の使用、廃棄までのサプライチェーン全体でカーボンニュートラルの実現を目指しています。

CO2排出量の算出範囲

出所：経済産業省 関東経済産業局

中小企業におけるCO_2排出量の算定範囲

中小企業がカーボンニュートラルに取り組む宣言をおこなうにあたって、まずスコープ1とスコープ2のCO_2排出量を把握する必要があります。自社が使用している燃料と電気からCO_2排出量を測定し、適切に管理することが求められます。

将来的には、中小企業もスコープ3のCO_2排出量を把握しなければならない時代がやって来ます。そこで、今のうちからスコープ3のCO_2排出量の把握に取り組み、先進的な中小企業になることを推奨します。大企業は、スコープ3を含めたサプライチェーン全体のCO_2排出量の把握を課題としており、そのためには取引先からCO_2排出量の情報を集めなければなりません。大企業がサプライチェーン全体のCO_2排出量を把握しようという姿勢を見せているなら、私たち中小企業も同じ目標を持つべきです。早期にCO_2排出量の開示ができるようになることで、大企業から取引先として選ばれる可能性が高まります。

2 現状のCO_2排出量を把握しよう

中小企業ではまず燃料・電力のCO_2排出量把握をおこなう

ここからは、スコープ1およびスコープ2のCO_2排出量の具体的な算出方法について概要を簡単に説明します。実際に計算される際には、どこへの報告なのか（例えば環境省、SBT事務局など）により細かな計算ルールが異なりますので、それぞれの制度のルールブックを参照するか、専門家までお問い合わせください。

まずは、2022年、2021年など算出対象とする基準年度を決めます。期間は、年（1～12月）、年度（4～3月）、会社決算に基づく期間のどれを選択していただいても大

電気代請求書のイメージ

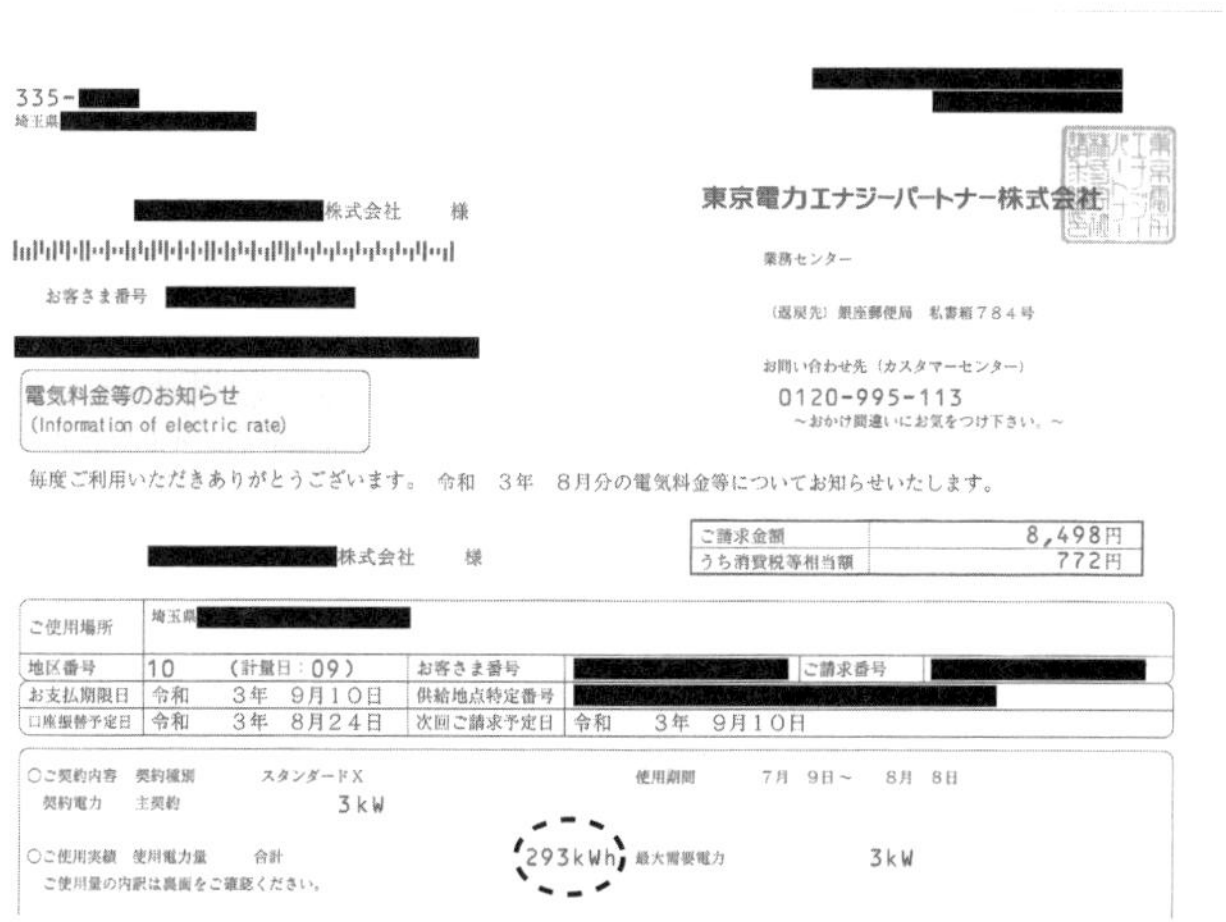
335-[redacted]
埼玉県[redacted]

[redacted]

[redacted]株式会社　様

お客さま番号 [redacted]

[redacted]

東京電力エナジーパートナー株式会社
業務センター
（返戻先）銀座郵便局　私書箱７８４号
お問い合わせ先（カスタマーセンター）
0120-995-113
～おかけ間違いにお気をつけ下さい。～

電気料金等のお知らせ
(Information of electric rate)

毎度ご利用いただきありがとうございます。令和　3年　8月分の電気料金等についてお知らせいたします。

[redacted]株式会社　様

ご請求金額	8,498円
うち消費税等相当額	772円

ご使用場所	埼玉県[redacted]				
地区番号	10　（計量日：09）	お客さま番号	[redacted]	ご請求番号	[redacted]
お支払期限日	令和　3年　9月10日	供給地点特定番号	[redacted]		
口座振替予定日	令和　3年　8月24日	次回ご請求予定日	令和　3年　9月10日		

○ご契約内容　契約種別　スタンダードX　使用期間　7月　9日～　8月　8日
契約電力　主契約　3kW
○ご使用実績　使用電力量　合計　293kWh　最大需要電力　3kW
ご使用量の内訳は裏面をご確認ください。

丈夫ですが、決算期ごとに取引書類を保管することが多いため、会社決算に基づく期間の選択をおすすめします。

　次に、スコープ1を整理します。燃料類は、毎月の請求書やレシートなどから排出活動量（給油量、使用量など）を確認し、基準年度で選択した年の1年間分を集計します。燃料の内訳は、①ガソリン（レギュラー、ハイオク）、②軽油、③灯油、④都市ガス、⑤プロパンガス、LPガス、⑥重油、その他燃焼させている燃料です。自社で営業車やトラック、フォークリフトなどを使用している場合や、事務所や現場で灯油ストーブを使用している場合は、ガソリンや軽油、灯油

具体的なCO_2排出量算出

排出活動の量に対して係数をかける

スコープ1

軽油の場合

活動量		係数
10L	×	2,580g/L

	CO_2排出量
＝	25,800g（25.8kg）

スコープ2

電力の場合

活動量		係数
100kWh	×	433g/kWh

	CO_2排出量
＝	43,300g（43.3 kg）

主な排出係数

対象となる 排出活動	単位	値
ガソリン	t-CO2/kl	2.32
灯油	t-CO2/kl	2.49
軽油	t-CO2/kl	2.58
A 重油	t-CO2/kl	2.71
都市ガス	t-CO2/1,000Nm3	2.23
電気（令和5年。東京電力エナジーパートナー事業者全体調整後）	t-CO2/kWh	0.000451
電気（令和5年。関西電力事業者全体調整後）	t-CO2/kWh	0.000309

出所：環境省より筆者作成

などの燃料を購入しているはずですので、基準年度で選択した年の1年間分の請求書を引っ張り出してください。

続いて、スコープ2を整理します。電気代は、毎月の請求書から使用量を確認し、同じく基準年度で選択した年の1年間分を集計します。電力会社は1社のみと契約していることが多いため、燃料と比べて集計しやすいはずです。

スコープ1とスコープ2の集計が終わったら、排出活動量にCO_2排出係数（活動量1単位あたりのCO_2排出量。ガソリンであれば1リットル燃焼させることで何グラムのCO_2が出る

CO_2可視化のイメージ

2021年度		
	温室効果ガス（合計）	総合計
ガソリン	24.745 t-CO_2e	37.487 t-CO_2e
電気（高圧）	12.565 t-CO_2e	
その他	0.177 t-CO_2e	

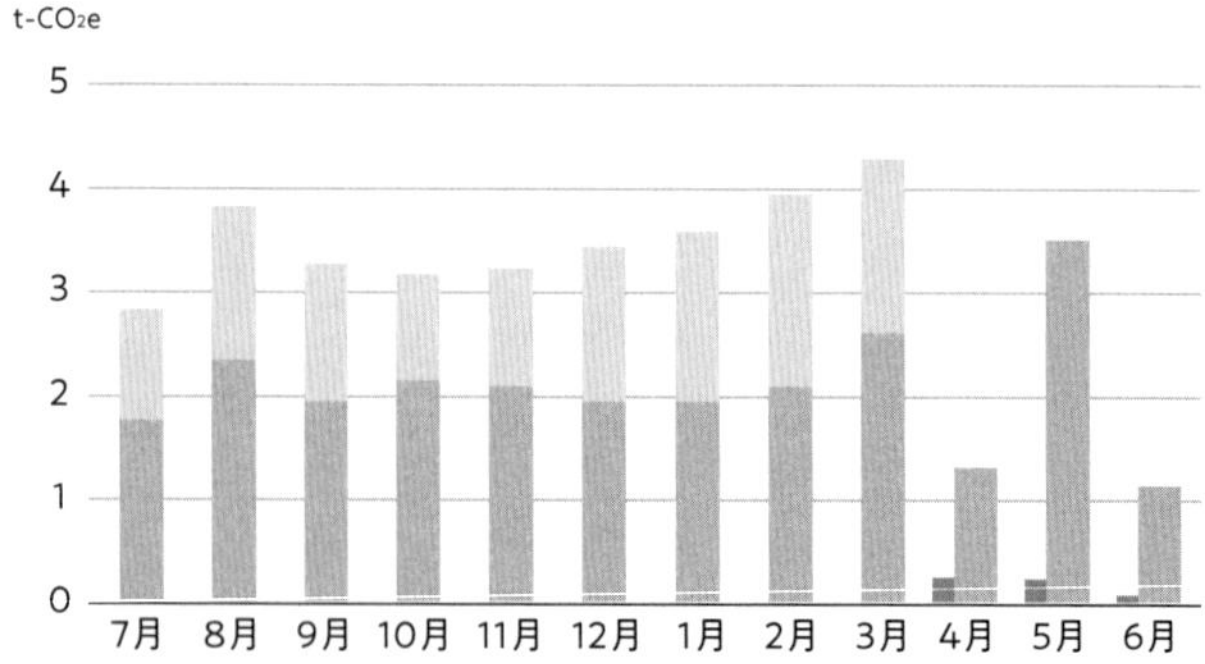

か）をかけてCO_2排出量を算出します。

各種燃料のCO_2排出係数は、環境省のホームページの「算定・報告・公表制度における算定方法・排出係数一覧」、電気のCO_2排出係数は、同じく環境省のホームページの「電気事業者別排出係数一覧」で確認します。CO_2排出係数は毎年変わりますので、CO_2排出量を算出する際にインターネットで「環境省　算定方法・排出係数一覧」と検索し、各種燃料や電力のCO_2排出係数をご確認ください。

なお、電力については、電力会社や年度ごとに電気のCO_2排出係数が変わります。例えば、令和5年度報告用係数を見ると、関西電力株式会社は発電量1キロワットアワーに対してCO_2排出量309グラムですが、沖縄電力株式会社は発電量1キロワットアワーに対してCO_2排出量684グラムとなっています。これは、関西電力株式会社が火力発電所に加えて原子力発電所を稼働していることによる影響です。

このようにCO_2排出量算定は、1つ1つの計算は極めてシンプルなのですが、適用する排出係数の管理や計算に必要な各種データの集計・管理が煩雑だという問題があります。環境省が無料で提供しているエクセル計算ツールや、そのほかIT事業者が提供しているツールがありますので、皆さんの必要とするCO_2排出量計算のレベルに合わせたサービスを検討してみてはいかがでしょうか。

減らすフェーズを意識してCO_2排出量を細かい粒度で把握する

ここまで手順通りに進めていただければ、現状の自社のCO_2排出量（スコープ1とスコープ2）を把握することができます。しかし、請求書の情報では、どの設備が多くの電力を消費しているのか、どの設備がエネルギー効率改善の対象となるのかが明確になりま

減らすフェーズを意識して、CO_2 排出量を細かい粒度で把握する

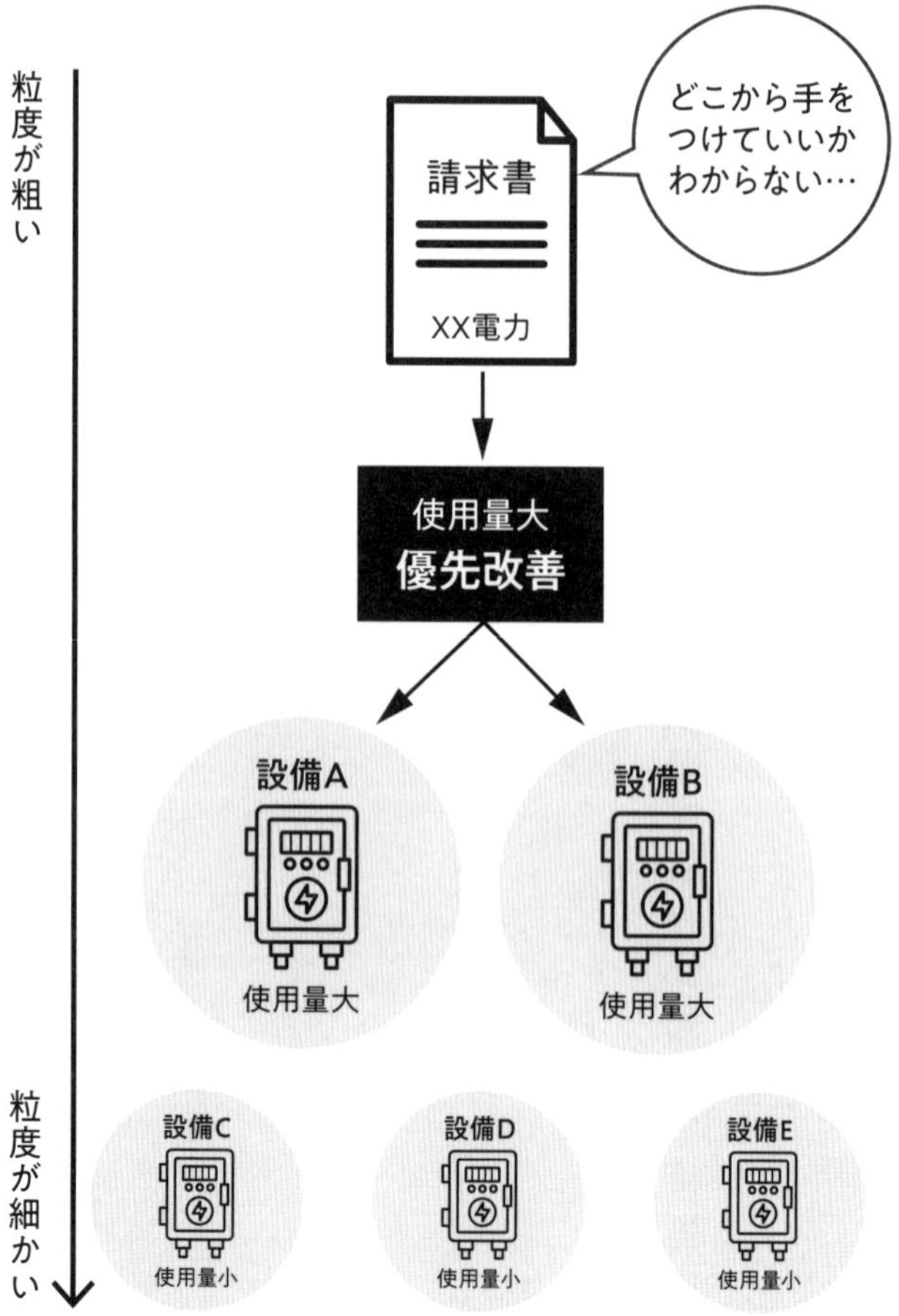

マシン稼働・保守の見える化「My V-factory」

せん。
　そこで、先進的な中小企業を目指す場合は、設備ごとに電力使用状況を把握し、それを基に改善計画を立案することが望ましいです。中小企業で設備ごとの電力使用状況を把握している企業はほとんどないため、取引先にこうした取り組みをアピールすることで、脱炭素に前向きな企業として評価を得られるでしょう。
　具体的に細かい粒度で消

費電力データを取得する方法には、電力計測ユニットの設置による設備の電力監視やエネルギーマネジメントシステム等があります。金属加工業界では、株式会社アマダのＶ‐ｆａｃｔｏｒｙなどのＩｏＴ（Internet of Things：さまざまなものがインターネットでつながる仕組み）を利用して設備の稼働状況や消費電力を見えるようにするサービスも出てきています。

3 国際機関から認証を受けよう

認証が必要な理由——CO_2削減計画の立案になぜ認証が関係する？

現状のCO_2排出量の把握が終わったら、外部の認定機関から認証を取得します。

繰り返しになりますが、中小企業が脱炭素に取り組む目的は、取引先から選ばれることです。外部の認定機関から認証を得ていない状態で「私たちはCO_2排出量の削減に取り組んでいます」と宣言したとしても、現状のCO_2排出量や削減目標の設定、削減計画にウソが混ざっている可能性があり、信憑性《しんぴょうせい》に欠けてしまいます。

例えば、現状のCO_2排出量50トンの企業が、現状のCO_2排出量を100トンと偽って公表した場合、何もしなくてもCO_2排出量削減率50%を達成します。これでは、何の意味もありません。特にCO_2排出量は目に見えないことから、恣意《しい》的な算出が容易です。真実性を担保するためにも、外部の認定機関から認証を得る必要があります。

中小企業ではSBTがおすすめ

外部の認定機関には、いくつかの種類がありますが、中小企業にはSBTをおすすめします。

SBTとは、Science-Based Targets の略語で、「科学的根拠に基づく目標」を意味します。2014年に国連など4つの共同機関で設立した国際機関であり、「地球の気温上昇を1・5度以内に抑えるために必要なCO_2排出量削減目標」を提示し、各企業にカーボンニュートラルの取り組みを求めています。

私が中小企業にSBTをおすすめする理由は、中小企業向けの認証制度があるからです。中小企業版SBTは、スコープ1とスコープ2のCO_2排出量の計算だけでSBT認証を取得することができます。また、申請企業が選択した基準年度に応じて、SBTがCO_2排出量の削減目標を定めるため、目標設定で迷うことがありません。中小企業は、S

中小企業ではSBTがおすすめ

SBTとは

SCIENCE BASED TARGETS
DRIVING AMBITIOUS CORPORATE CLIMATE ACTION

・Science Based Targetsの略
・直訳すると「科学的根拠に基づく目標」
・パリ協定の水準と整合した温室効果ガス削減目標を定めている企業を認証する制度

運営団体

CDP DISCLOSURE INSIGHT ACTION
UN GLOBAL COMPACT United Nations Global Compact
WWF
WORLD RESOURCES INSTITUTE ROSS CENTER

参加企業抜粋

製造業

YKK AP/AGC/TOTO/日本板硝子/日本特殊陶業/住友電気工業/古河電気工業/YKK/アマダ/小松製作所/DMG森精機/ナブテスコ/日立建機/アドバンテスト/アンリツ/アズビル/ウシオ電機/EIZO/オムロン/カシオ計算機/京セラ/コニカミノルタ/シャープ/SCREENホールディングス/セイコーエプソン/ソニーグループ/東芝/日新電機/日本電気/浜松ホトニクス/パナソニックホールディングス/日立製作所/ファナック/富士通/富士電機/富士フイルムホールディングス/ブラザー工業/三菱電機/村田製作所/明電舎/安川電機/ヤマハ/リコー/REINOWAホールディングス/ローム/ルネサスエレクトロニクス/トヨタ自動車/日産自動車/シチズン時計/島津製作所/テルモ/ニコン/椿本チエイン/ブリヂストン/TOA

建設業その他

安藤・間/大林組/奥村組/熊谷組/五洋建設/ジェネックス/清水建設/住友林業/積水ハウス/大東建託/大成建設/大和ハウス工業/高砂熱学工業/東亜建設工業/東急建設/戸田建設/西松建設/長谷工コーポレーション/前田建設工業/LIXILグループ/飛鳥建設/日本国土開発

中小企業版SBTと通常版SBTの違い

	中小企業向けSBT	〈参考〉通常SBT
対象	下記いずれか２つ以上に該当* ・従業員250人未満 ・売上4000万ユーロ未満 ・総資産2000万ユーロ未満 ・農業、林業でないこと	特になし
目標年	2030年	申請時から５年以上先、10年以内の任意年
基準年	2018年~2022年から選択	最新のデータが得られる年での設定を推奨
削減対象範囲	スコープ１、2排出量	スコープ1、2、3排出量。ただし、スコープ3がスコープ1~3の合計の40%を超えない場合には、スコープ3目標設定の必要はなし
目標レベル	■スコープ１、2 1.5℃：少なくとも年 4.2%削減 ■スコープ３ 算定・削減（特定の基準値はなし）	下記水準を超える削減目標を任意に設定 ■スコープ１、2 1.5℃：少なくとも年 4.2%削減 ■スコープ３ Well Below 2℃：少なくとも年 2.5%削減
費用	1回USD1,250（外税）	目標妥当性確認サービスはUSD 9,500（外税）※最大2回の目標評価を受けられる 以降の目標再提出は、1回USD 4,750（外税）

※その他、スコープ1、2の総排出量による制限など複数の条件あり
　2024年1月時点の情報

出所：環境省、SBT公式サイト

BTによって決められたCO_2排出量の削減目標に向けて計画を立てることができます。

中小企業がSBT認証を取得するメリットは、企業の社会的な評価が上がることです。2023年6月時点で、日本国内では356社がSBT認証を取得しておりますが、国内企業で見ると1万社に1社程度しか取得していない状況です。その中に名を連ねることで、取引先などの世論に対して「本格的にカーボンニュートラルの取り組みをおこなっている企業」と良い印象を与えることができます。そのほかにも、金融機関からの融資を受けやすくなることや、競争優位性の獲得、ブランドイメージの向上といった効果も期待できます。

一方で、中小企業がSBT認証を取得するデメリットは、費用や時間がかかることです。2023年6月時点で、中小企業版SBTの認証取得には1000ドルの費用がかかります（2024年1月から1250ドルに値上がり）。また、SBTは国際機関のため、申請書類を英語でつくり、認証取得費用を海外送金で支払います。日常的に英語を用いて業務をおこなっている企業や貿易をおこなっている企業であれば問題はありませんが、そうでない企業にとっては大変な労力を必要とします。

もし、SBT認証取得の手続きが難しそうだと感じるようであれば、SBT認証取得を支援しているコンサルティング会社などに外部委託するとよいでしょう。

とにかく早く取り組むことが大切

ＳＢＴ認証は、ＩＳＯ認証と似たような性質を持つものだと考えられます。そこで、少しだけＩＳＯ９００１（品質マネジメントシステム）の歴史をお話しします。

ＩＳＯ９００１は、国際標準化機構が発行した品質に関する国際認証で、１９８７年に初版が発行されました。日本適合性認定協会によると、その後20年ほどで国内企業４万社以上がＩＳＯ９００１認証を取得しました。当時、企業がＩＳＯ９００１認証を取得する主な理由は「取引先からの要求」とのことでした。このことから、取引先はＩＳＯ９００１認証を取得した企業を探しており、認証を取得していない企業との取引は縮小させ、認証を取得している企業と新たな取引を始めたことが容易に想像できます。一方で、２０２０年時点の日本適合性認定協会によるＩＳＯ９００１認証取得企業は３万社まで減少しています。これは、ＩＳＯ認証の取得が一般的になり、取引先からの要求が減ってきたからだと考えられます。

ＳＢＴ認証においても、環境省や経済産業省が外部の認定機関から認証を受けることを推奨しています。また、一部の大企業では取引先に対してＳＢＴ認証を受けるように促しています。私の予想では、２０２６年までに東証プライム上場企業の大部分が外部の認定機関から認証を取得し、２０２６年以降に中小企業が外部の認定機関から認証を取得する流れになると思います。

これらを考慮すると、中小企業はとにかく早く中小企業版ＳＢＴ認証を取得することが重要です。ＳＢＴ認証の取得は、早ければ早いほど高い価値を持ちますが、２０２６年にかけて徐々に価値が減っていき、最後は一般化される見込みです。

島田工業株式会社のＳＢＴ認証の活用事例

島田工業株式会社（群馬県伊勢崎市）が実際におこなったＳＢＴ認証の活用事例をご紹介します。

島田工業株式会社は、大手業務用空調機器メーカーと取引をしています。大手取引先では、環境行動計画に基づきCO_2排出量の削減に向けて取り組みを進めています。島田工業株式会社は、中小企業版ＳＢＴ認証を取得してすぐに取引先へ報告したところ、「素晴らしい、よくやった」と高い評価をいただくことができたそうです。その後、ホームページにＳＢＴ認証マークを掲載し、メールマガジンでＳＢＴ認証を取得したことを配信したところ、CO_2排出量の削減に取り組む複数の取引先から、称賛とともにお話を聞かせてほしいとの声がかかったそうです。当時、ＳＢＴ認証を取得している企業は２５０社程度であり、その中に名を連ねるという事実が大きな価値を持ちました。

中小企業版ＳＢＴ取得までの流れ

中小企業版ＳＢＴ認証の取得は、英語の申請書類を作成することができれば、それほど難しいものではありません。スコープ１（燃料）とスコープ２（電気）のデータを収集し、それに基づいてCO_2排出量を算定、ＳＢＴが定めた削減目標を設定して申請書類を送ります。申請内容に問題がなければ、ＳＢＴから通知が届きますので、１０００ドルの申請費用を支払うことで、企業名がＳＢＴのホームページに掲載されます。

英語が苦手な場合や申請に手間がかかると感じる場合は、ＳＢＴ認証取得を支援するコンサルティング会社の活用をおすすめします。基準年度を選び、スコープ１とスコープ２にかかる請求書などを準備すれば、申請までご支援いただけるはずです（海外送金の手続きは金融機関の方に相談して進める必要があります）。

SBT取得までの流れ

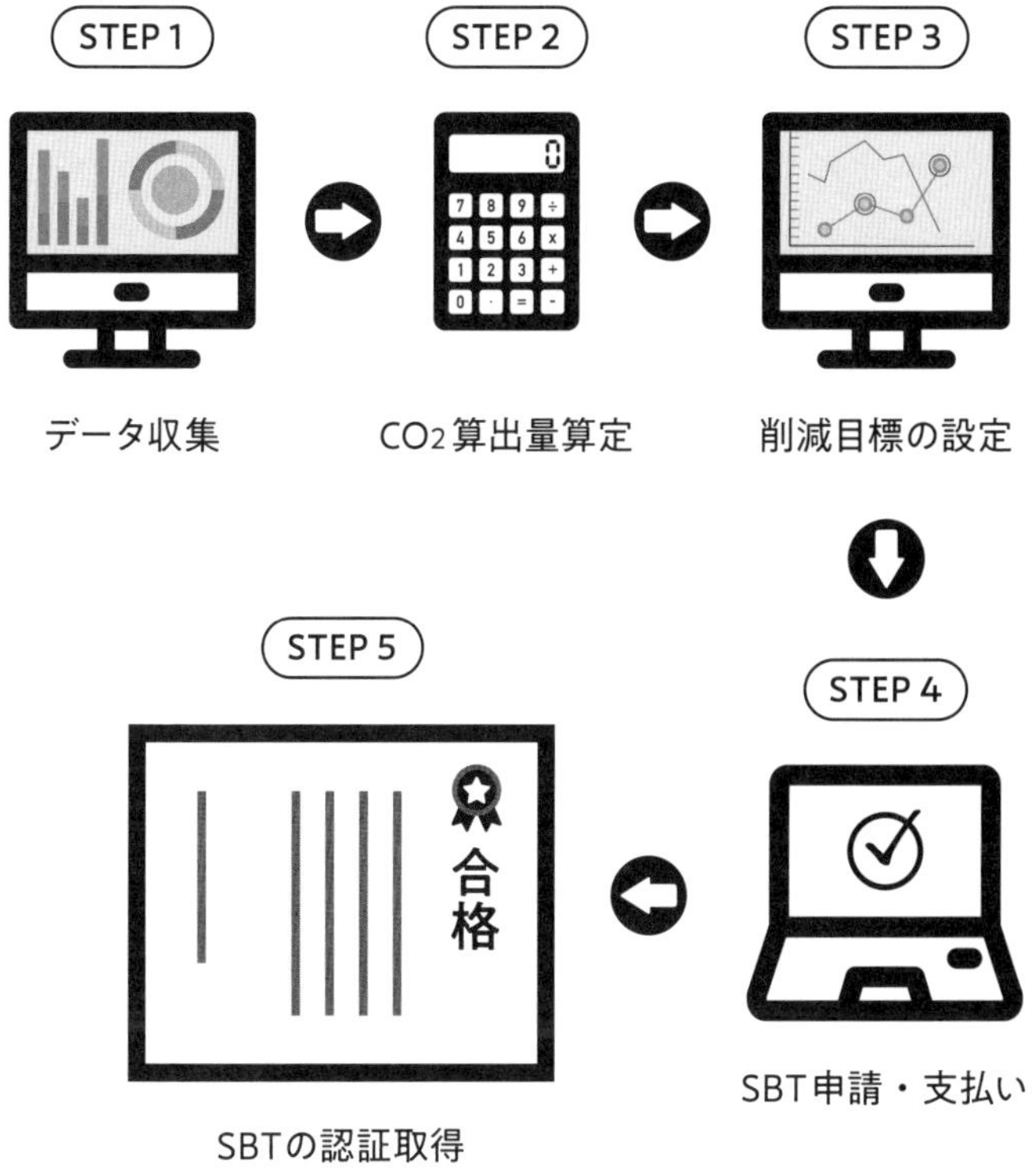
STEP 1
データ収集
STEP 2
CO_2算出量算定
STEP 3
削減目標の設定
STEP 4
SBT申請・支払い
STEP 5
合格
SBTの認証取得

SBT認証を取得した後は、SBTから各社にCO_2排出量をホームページで報告することが求められます。ただし、今のところはSBT認証を取得した後に、一度もCO_2排出量の報告をおこなっていなかったとしても、罰則や罰金、認証の取り消しなどはありません。

とはいえ、取引先からCO_2排出量の開示を求められるようになりますので、今のうちからホームページに年間（できれば月間）のCO_2排出量を開示することが望ましいです。取引先をはじめとした世論に対して、自社が積極的にカーボンニュートラルの取り組みを進めているというイメージを創出することで、社会的評価が得られます。

中小企業にとって、現状のCO_2排出量の把握から中小企業版SBT認証の取得までが、CO_2排出量の削減に向けた取り組みの準備段階です。これらの過程を進めた上で、具体的なCO_2排出量の削減活動をおこないます。

4 認証されたらCO_2排出量の削減活動を始めよう

スコープごとに削減アプローチを変える

中小企業版SBT認証を取得できたら、いよいよCO_2排出量の削減活動を始めます。中小企業版SBT認証では2030年までにCO_2排出量を42～50％削減する目標を設定しており、スコープ1（燃料）とスコープ2（電気）を管理することで達成を目指します。

スコープ1のCO_2排出量は、主に燃料の燃焼によるものです。具体的には、営業車や運送トラック、空調設備、機械、炉、ボイラーなどを使用する際に、ガソリンや軽油、ガスなどの石油類を燃焼します。スコープ1でまず取り組むべきは、燃料の使用量を減らすことです。省エネルギー性能の高いボイラーに転換する、重油を使った炉から天然ガス炉に転換するなどがあげられます。

次に、燃料の燃焼から電気の使用へと転換することです。例えば、電気自動車を利用する、暖房・給湯にヒートポンプ（大気中の熱を集めて少しの電力で圧縮し、熱エネルギーを生み出す技術）を利用する、先ほどの天然ガス炉を電炉に転換するなどが考えられます。熱より電力のほうが低炭素化しやすいことから、大幅なCO_2削減効果が期待できます。ただし、技術開発の進捗《しんちょく》状況や導入コスト、関連インフラの普及状況などによって、一足飛びに電化を図ることが難しい場合も想定されます。こうした場合は、段階的に転換を図ることも一案です。

スコープ2のCO_2排出量は、電気の使用によるものです。スコープ2のCO_2排出量の削減に向けた考え方は2つあります。1つは、可能な限りエネルギー消費量を削減する（省エネ化を進める）ことです。例えば、高効率の照明や空調、熱源機器といった省エネ性能の高い設備に入れ替えることなどが考えられます。もう1つは、再生可能エネルギー由来の電力に転換することです。例えば、太陽光、風力、バイオマス等の再エネ発電設備の利用などが考えられます。また、近年では小売電力事業者が再エネ電気メニューを提供していることも多いので、このようなサービスを利用することも有効な手段になります。

スコープ2のCO_2排出量削減については、再生可能エネルギーの導入だけで解決できそうに思えるかもしれません。しかし、天候の変動や夜間の電力供給などを考慮すると、再生可能エネルギーの導入だけでは対応しきれない場合がほとんどです。したがって、省エネルギー化と再生可能エネルギーの導入の両方を並行して進める必要があります。

CO_2排出量削減活動を進める3ステップ

では、具体的にどのように進めていけばよいのでしょうか。ここでは、削減対象の特定、排出原因の分析、低減に向けた打ち手の3ステップで進める方法をお伝えします。

まずは、削減対象を特定します。中小企業版SBT認証にあたって把握したCO_2排出量は、請求書に基づく集計であるため、具体的に何を改善すべきかが明確になっていません。そこで、各分電盤や設備ごとに電力計を取り付け、そこから取得したデータに基づいてABC分析をおこないます。

ABC分析とは、在庫管理や品質管理などでよく使われる手法で、特定の評価軸を基に多い順にA、B、Cとグループ分けをして取り組みの優先順位をつける方法です。今回の

ABC分析の例

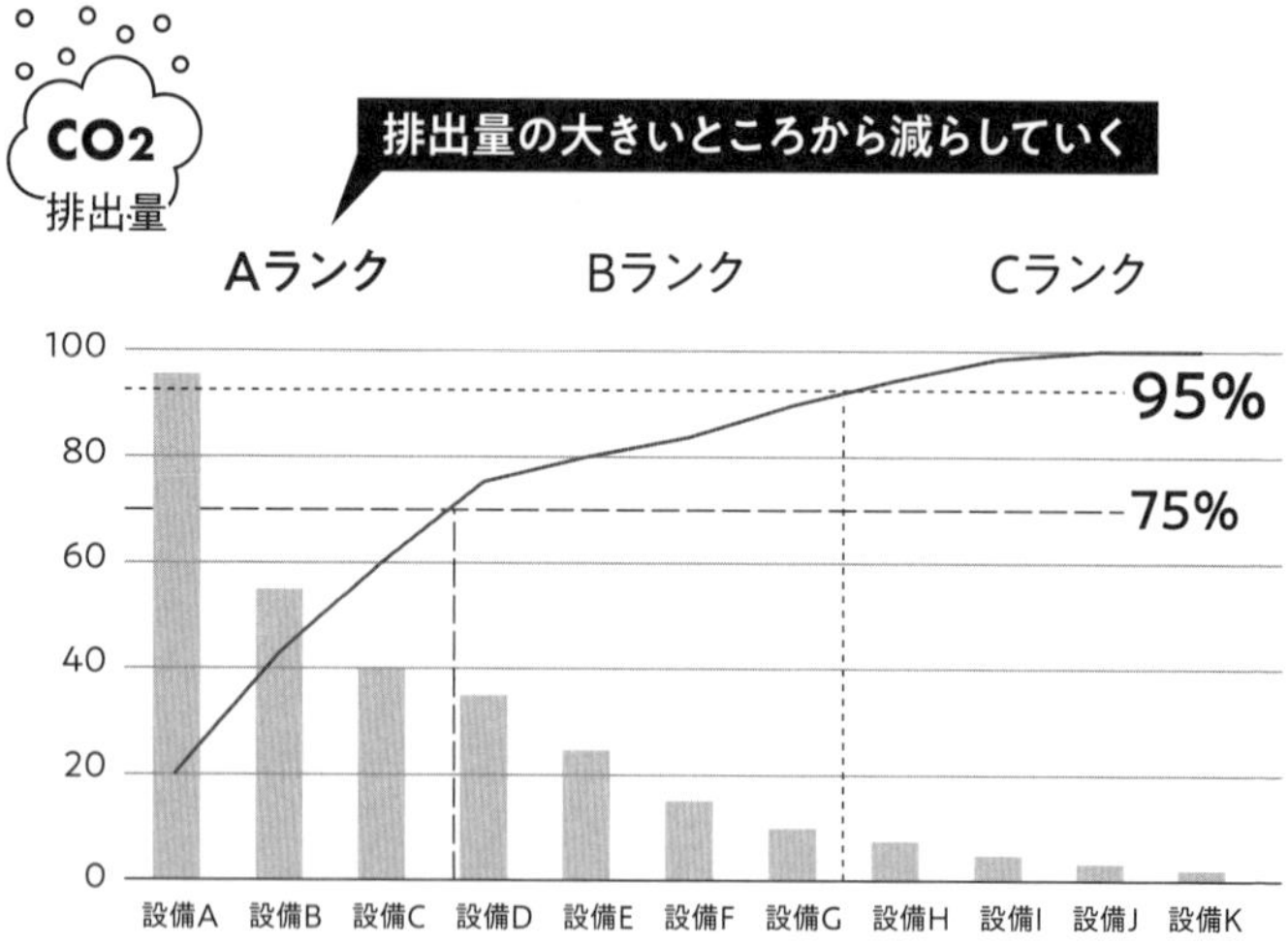

コンプレッサーのCO_2排出量削減に向けた原因分析例

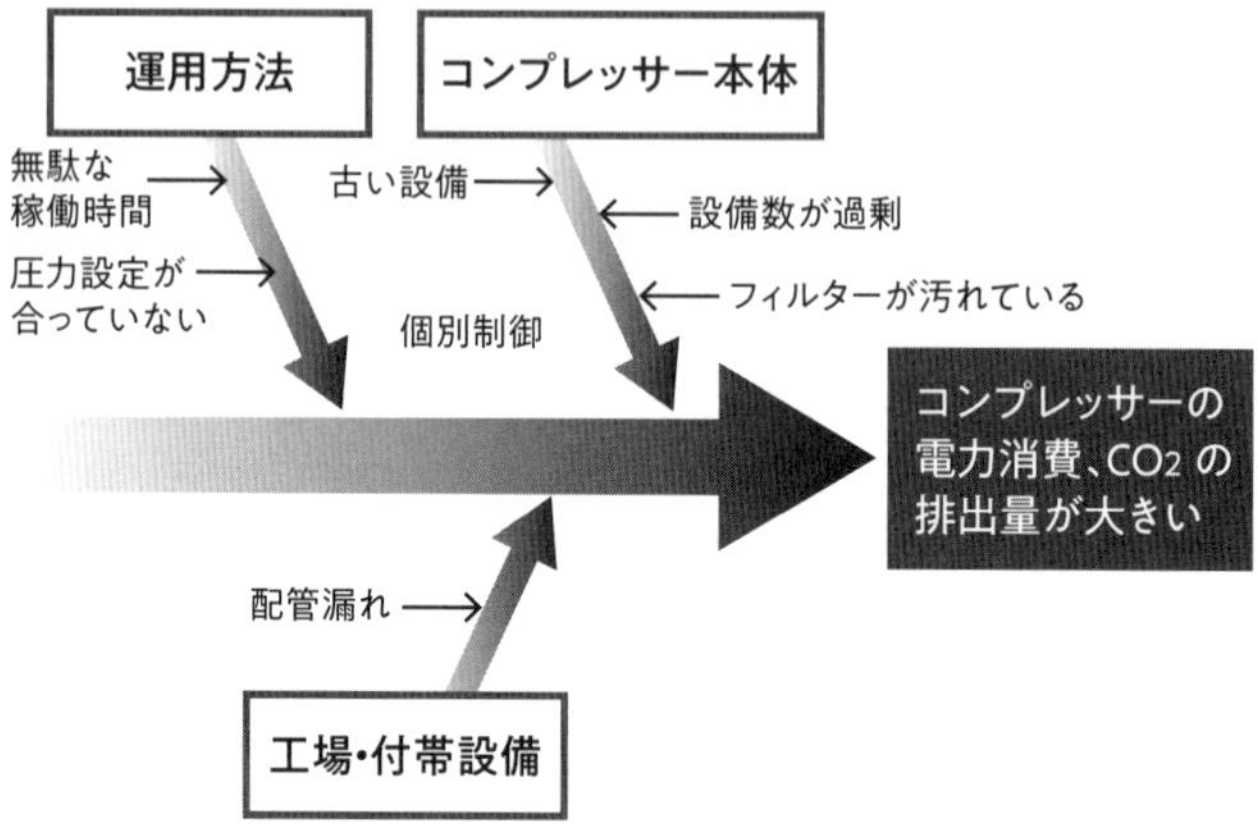

ケースだと、評価軸に設備あたりのCO_2排出量を設定し、最もCO_2を排出している設備をグループA、次にグループB、グループCと設定し、グループAに属する設備を重点的に削減対象として、メリハリをつけて削減に取り組みます。

次に、CO_2排出量の多い設備を対象に排出原因を分析します。例えば、中小製造業で排出量が多い設備にコンプレッサー（空気圧縮機）がありますが、ムダな稼働時間が発生していないか、過剰な出力設定がされていないか、配管漏れが発生していないか、設備が古くないか、排気口が汚れていないかなど、幅広く原因を調査します。原因の調査にあたっては、特性要因図など、品質管理の現場でよく使われる分析手法をおこなうことで、改善方向の選択肢を幅広くあげることができます。

その上で、低減に向けた打ち手を決めます。設備投資に余力がある場合は設備を更新しますが、そうでない場合は運用方法の見直しや設備の清掃、部品の交換など、できることから取り組みを進めてください。

CO_2排出量削減の事例紹介

CO_2排出量の削減活動に取り組むにあたり、以下にいくつかの事例をご紹介します。

金属加工業をはじめ、製造業においては、生産設備の入れ替えがCO_2排出量の削減に最も効果的なケースが多いです。例えば、千葉県市川市にある従業員数16名の大同鋼材株式会社はレーザー切断加工を主力事業としています。当企業は２０２１年にCO_2レーザー加工機２台をファイバーレーザー加工機２台に入れ替えたことで、設備のエネルギー使用量が60％削減され、CO_2の排出が減りました。また、電力使用量が年間約27万キロワットアワー削減され、月々の電気代に換算すると約１００万円減るという効果もありました。

そのほかの取り組みの例では、従業員数26名のある金属部品の切削加工会社で、コンプレッサー（空気圧縮機）の漏れ防止等による電気使用量削減と、本社工場の屋上に太陽光発電パネルを設置することによって、最大16％のCO_2排出量削減につながることがわかりました。

また、従業員数86名のある運送会社では、従来からエコドライブや電力の再生可能エネルギーへの切り替えなど、省エネを推進してきましたが、直近ではＥＶトラックの活用を少しずつ始めています。今後、共同輸配送による積載率の向上や運送時に発生する廃棄物のリサイクルなどを推進し、CO_2排出量を削減していく予定です。

5 国の支援策を最大限に活用しよう

脱炭素に取り組むことで1億円近くの補助金がもらえるチャンス

これまでは、中小企業がカーボンニュートラルに取り組むことにより、取引先から選ばれるという3～5年の中長期的なメリットをお伝えしてきました。ここからは、1～2年の短期的なメリットをお伝えします。それが、補助金の活用です。

政府は、サプライチェーン全体でのGXの取り組みが不可欠としており、中小企業を取り残すことなく、社会全体のGXに向けた取り組みを推進する方向性を示しています。その上で、2050年カーボンニュートラルの実現に向け、産業構造や社会構造の変革をもたらし、大きな成長につなげていくことを目的として、中小企業向けに事業再構築補助金のグリーン成長枠や、ものづくり補助金のグリーン枠を創設しています。

事業再構築補助金のグリーン成長枠は、中小企業がグリーン成長戦略14分野の課題解決につながる事業に再構築する取り組みに対して、最大1億円の補助金が支給される施策です。グリーン成長枠の追加提出書類に中小企業版ＳＢＴ認証の取得を記載することで、審査の評価が上がる可能性があります。

ものづくり補助金のグリーン枠は、中小企業が温室効果ガスの排出削減につながる革新的な製品・サービスの開発や、炭素生産性向上を伴う生産プロセスやサービス提供方法の改善等をおこなう取り組みに対して、最大４０００万円の補助金が支給される施策です。グリーン枠には、CO_2排出量削減の取り組みに応じた3段階の支援類型があり、中小企業版ＳＢＴ認証を取得している場合は、最大４０００万円の補助金が支給される支援類型に申請できます。なお、いずれの支援類型に申請する場合でも、中小企業版ＳＢＴ認証を取得していれば、現在のCO_2排出量やCO_2排出量の削減目標、CO_2排出量の削減計画を具体的かつ定量的に説明できるため、採択される可能性が高まります。

そのほか、ＧＸの実現に向けた基本方針の中で、複数年の投資計画に対応できる省エネ

カーボンニュートラルに取り組むことで 1億円近くの補助金がもらえるチャンス

	事業再構築補助金 グリーン 成長枠	ものづくり補助金 グリーン枠	省エネ補助金
対象の取り組み	グリーン成長戦略14分野への事業転換	炭素生産性（CO_2排出量あたりの付加価値額）を向上させる取り組み等	エネルギー効率の高い設備への更新
補助対象経費	・建物費 ・機械装置 ・システム構築費 ・外注費 ・専門家経費 ・広告宣伝費等	・機械装置 ・システム構築費 ・外注費 ・専門家経費等	・設備費 ・設計費 ・工事費
補助額	~1億円（中小企業） ~1.5億円（中堅企業）	~4000万円	~1億円 ※指定設備導入事業

※2023年6月時点の情報

補助金を創設する計画があります。現行の省エネ補助金はいくつかの事業区分に分かれていますが、最も申請件数の多い指定設備導入事業では、補助金事務局があらかじめ定めたエネルギー消費効率などの基準を満たし、補助金対象設備として登録および公表した指定設備に更新する取り組みに対して、最大1億円の補助金が支給される施策です。今のところ、中小企業版SBT認証の取得によるメリットはありませんが、複数年の投資計画に対応できる省エネ補助金が始まると、CO_2排出量の削減計画の有無が申請要件になる可能性は十分に考えられます。

補助金活用のメリット

補助金活用には、3つのメリットがあります。

1つは、事業リスクの低減です。補助金は、事業に要した費用の一部を国から補助してもらえるものです。そのため、補助金を活用することによって、事業に伴うリスクを抑制することができます。事業が成功すれば高い収益を得られ、失敗しても損失を抑えられることから、補助金を活用しなかった場合に比べて、「ローリスク、ハイリターン」の投資が実現できます。

では、具体的に事業リスクの低減がどのくらいできるのでしょうか。国が補助金1000万円を支給する制度を例にあげてみます。補助金の申請企業が、毎年200万円の利益を見込める設備を1500万円で購入するとします。補助金を活用しなかった場合は、設備投資の金額を回収するまでに7・5年かかります。一方で、補助金を活用した場合は、実質500万円の投資と同じになるので、投資金額を回収するまでに2・5年しかかかりません。補助金を活用した場合は、5年も早く投資金額を回収できることがわかります。

補助金活用による事業リスクの低減イメージ

補助金を活用しなかった場合

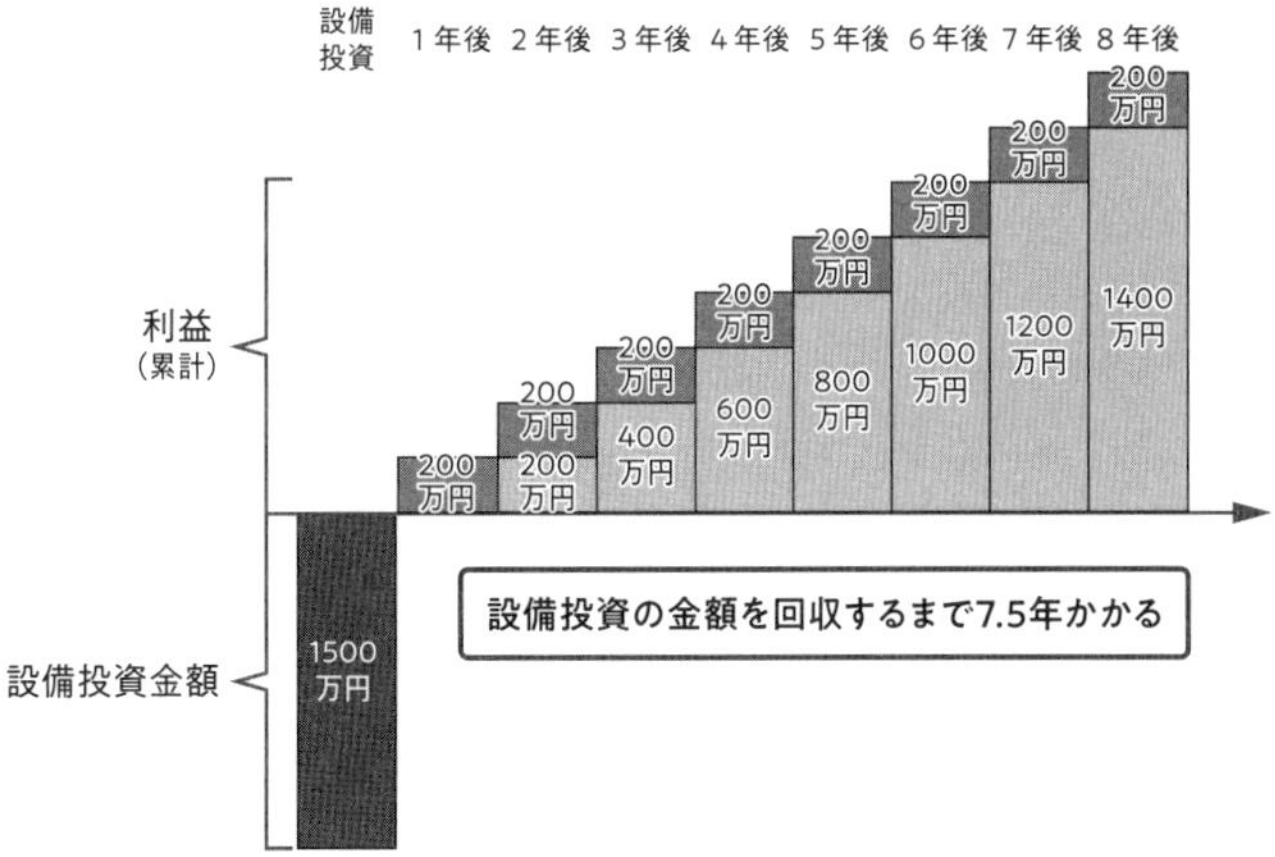

補助金を活用した場合

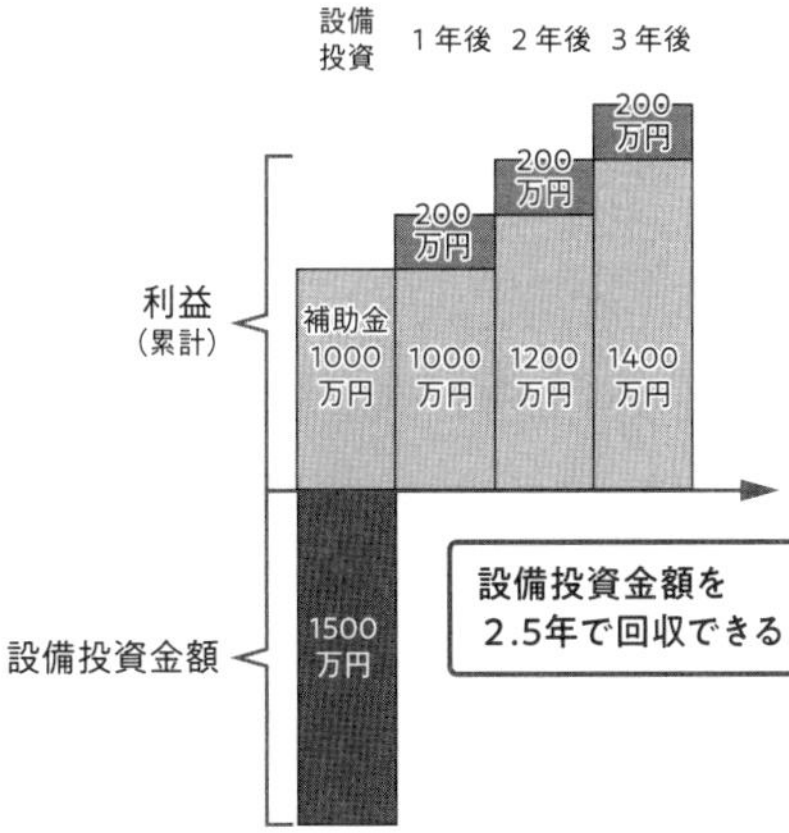

2つ目のメリットは、事業の成長を加速させることです。補助金は、国から事業者の銀行口座に現金で振り込まれます。そのため、給付された補助金を活用することによって、さらなる投資をおこなうことが可能です。補助金の中には、数年続いている制度もあるため、国から補助金の給付を受けることで継続的に投資をおこない、事業の成長を加速させることができます。

こちらも、どのように事業成長を加速させることができるのか、国が補助金3000万円を支給する制度を例にあげてみます。

補助金の申請企業が、現預金6000万円を保有している状況で、4500万円の設備を購入するとします。補助金を活用しなかった場合は、1年目に4500万円の設備を購入して現預金が1500万円となり、2年目は現預金が不足しているため設備投資ができません。一方で、補助金を活用した場合は、1年目に4500万円の設備を購入して現預金が同じように1500万円になりますが、その後、補助金3000万円が給付されるため1年目の最終的な現預金は4500万円残ることになります。2年目にさらに4500万円の設備を購入すると、現預金が0円になりますが、さらに2年目の補助金3000万円が給付されて現預金は3000万円になります。

補助金活用による事業の成長を加速

補助金を活用しなかった場合

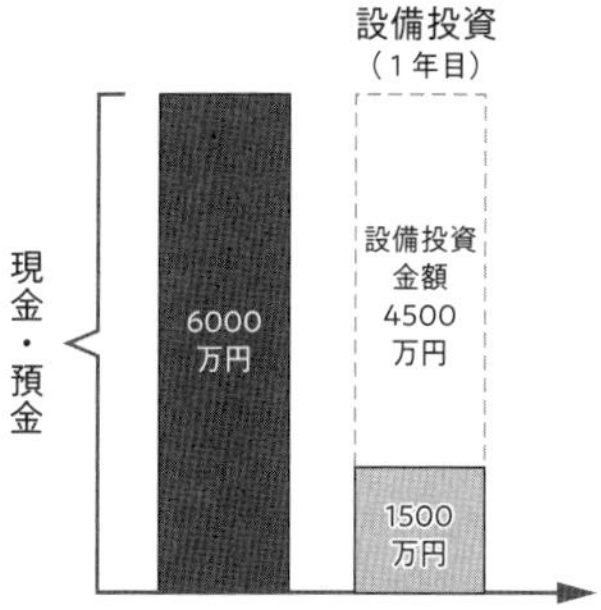

2年目の設備投資ができない。
現金・預金が1500万円しか残らない

補助金を活用した場合

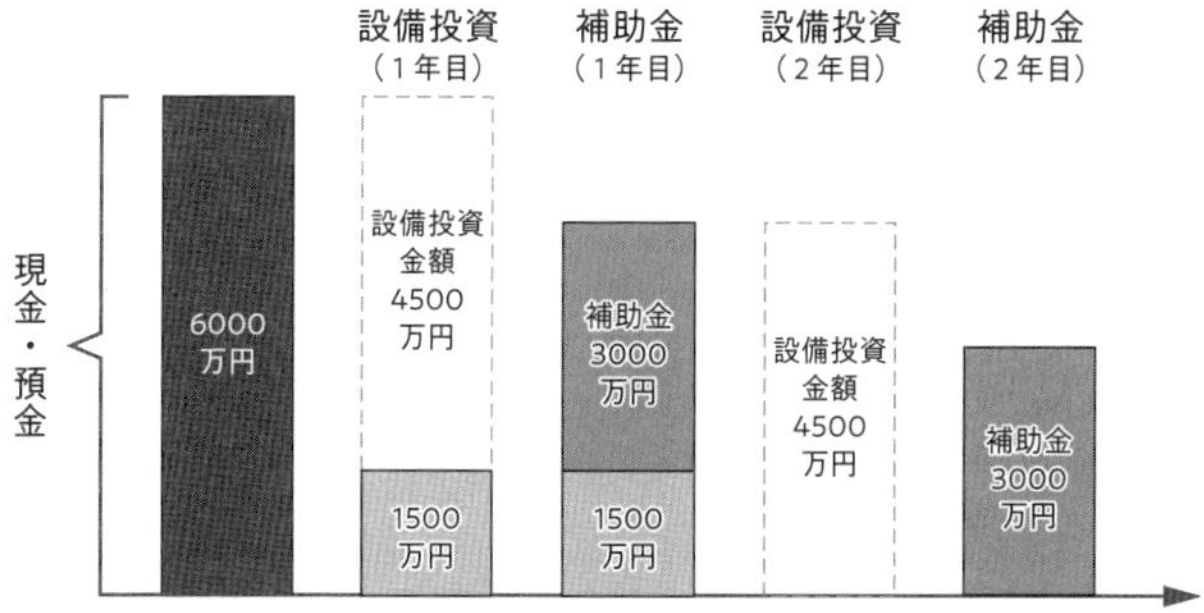

2年目も設備投資ができた（設備投資金額0.9億円）。
現金・預金が3000万円も残った

補助金活用による収益の獲得

補助金を活用しなかった場合

勘定科目	金額
売上高	2億円
売上原価	1億円
売上総利益	1億円
販売管理費	8000万円
営業利益	2000万円
営業外費用	1000万円
営業外収益	0円
経常利益	1000万円

補助金を活用した場合

勘定科目	金額
売上高	2億円
売上原価	1億円
売上総利益	1億円
販売管理費	8000万円
営業利益	2000万円
営業外費用	1000万円
営業外収益	1000万円
経常利益	2000万円

補助金 1000万円

補助金を利用することで利益が増加

このように補助金をうまく活用している事業者と、まったく活用していない事業者では、事業の成長速度に大きな差が生まれます。

３つ目のメリットは、補助金という収益を獲得できることです。この説明は少し難しいため、先に国が補助金１０００万円を支給する制度を例として見ていきます。

補助金の申請企業は、売上高２億円、経常利益が１０００万円の事業を営んでいるとします。補助金で１０００万円の給付を受けた場合、経常利益が1000万円増えます。この企業が通常の事業で経常利益1000万円を計上するためには、売上高2億円が必要となりますので、補助金の受給は売上高が2億円増えることと概ね同じことです。

考えてみてください。売上を増やすために、どれだけの企業努力が必要でしょうか。現在の製品を何個売る必要があるでしょうか。営業がどれくらい働けばよいでしょうか。工場の稼働をどれくらい増やす必要があるでしょうか。

ぜひとも「補助金が経営に与えるインパクトは強い」という点を理解していただければと思います。

補助金の具体的な活用事例

ここで、私の会社がご支援させていただいたお客様の補助金活用事例をいくつかご紹介します。

【事業再構築補助金のグリーン成長枠】

事業再構築補助金のグリーン成長枠では、第2章で紹介させていただいた経済産業省が

自動車業界の事業再構築の例

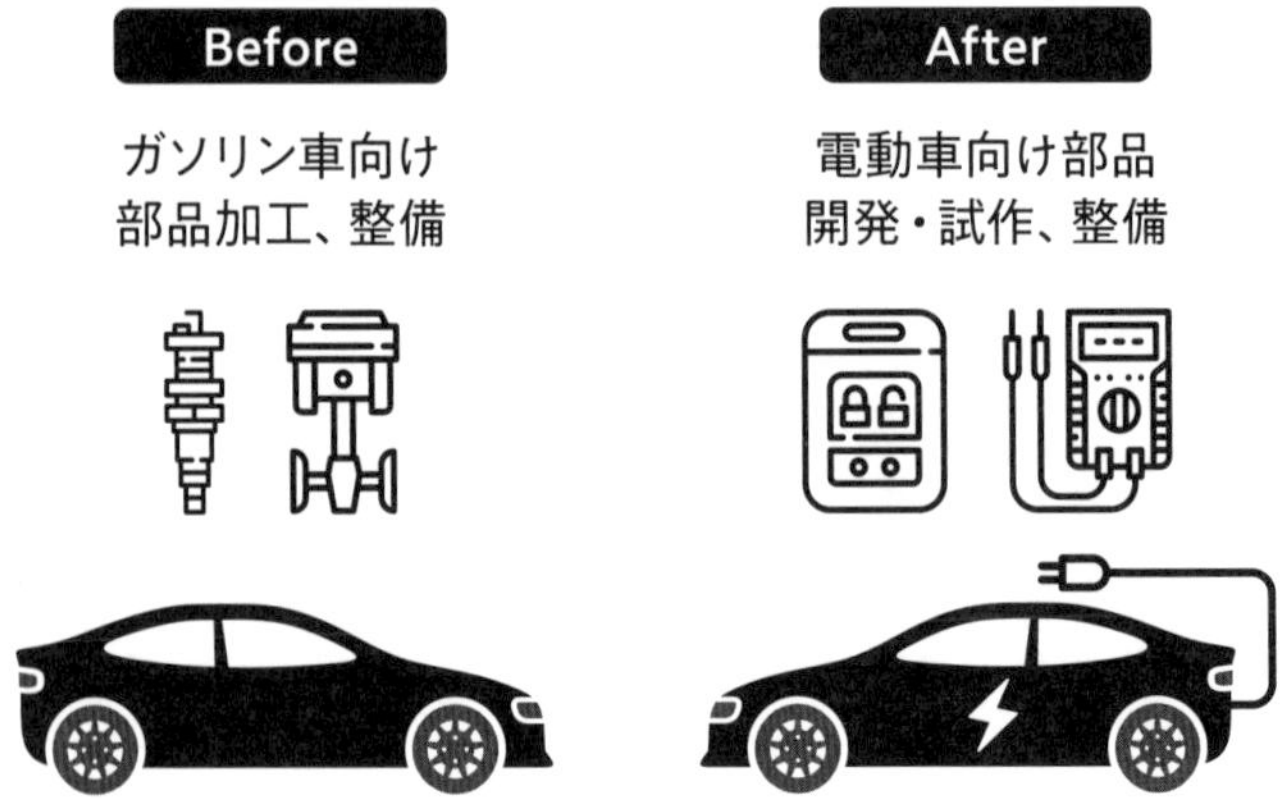

発表しているグリーン成長戦略14分野で新しい事業をおこなうことが求められます。

例えば、ご支援させていただいた兵庫県西宮市にある六甲電子株式会社は、グリーン成長戦略の半導体・情報通信産業に記載のある「情報通信インフラの高度化」に関わる6G通信向け超薄高精度な半導体ウエハ（半導体の原材料の1つ）の研削・研磨加工事業に進出する事業計画を作成し、採択されました。

そのほか、金属プレス加工業の中小企業が、ガソリン車部品の市場から電気自動車部品の市場に進出するため、プレス板金事業から精密板金事業に事業再構築した例や、精密板金加工業の中小企業が、郵便受け箱といった住宅建築用部品の製造から、新たに太陽光発電関連の設備市場に進出する計画が採択されました。

【ものづくり補助金のグリーン枠アドバンス類型】

ものづくり補助金のグリーン枠では、一般的な製造における生産性の向上に加えて、炭素生産性と呼ばれるCO_2排出量あたりの付加価値額も向上させることが求められます。

ご支援させていただいた株式会社京都調帯は京都市にある従業員数48名の精密機械部品メーカーです。脱炭素に関心が集まる中、直近で需要が増している電気自動車向けのリチウムイオン電池の製造工程のうち、シート状の電極材を送り出す滑車（プーリー）を高精度に製造するための設備導入をおこない、生産性を高めるとともに、需要に対応して収益拡大を図る事業計画が採択されました。

そのほか、製造業の自動化システムを製造・販売する中小企業が、顧客であるメーカーが車載電池の製造を自動化できるように、無人搬送車（従来、人が運搬していた車載電池を運ぶためのロボット）の量産体制を新たにつくる計画や、金属切削加工業の中小企業が、

設備投資で生産性を上げる株式会社京都調帯

脱炭素を求める取引先の要望に応じ、物流倉庫などで使用する協働ロボットの駆動部品製造を完全内製化することで、製造に関するCO_2排出量を削減しながら生産性を高めるという事業計画が採択されています。

このように、同じ補助金といっても、それぞれの制度によって、採択されやすい内容が少しずつ異なりますので、それぞれの申請イメージをつかんでいただければ幸いです。

補助金の今後

これまで、2023年時点で公募をおこなっている補助金制度について説明してきましたが、今後の補助金制度の見通しについても触れたいと思います。すでに、国は20兆円のＧＸ経済移行債の発行を決めています。そのため、２０３０年まで企業のカーボンニュートラルに向けた設備投資を後押しする補助金が国から出てくることは概ね間違いありません。

一方で、補助金の給付にあたっては、基準年度と比べてCO_2排出量削減率の高い企業に多くの補助金を給付するような流れになる可能性を感じています。こうした補助金を活用するためにも、今からCO_2排出量の把握に取り組み、いつでも申請ができるよう準備しておくことが重要です。

困ったときは国に相談

補助金以外にも日本政府は多くの支援施策を講じています。例えば、環境省は「脱炭素ポータル」という情報サイトを運営しており、脱炭素経営に役立つ情報や補助金の情報についてわかりやすくまとめています。そのほか、経済産業省と共同で「中小規模事業者のための脱炭素経営ハンドブック」を作成するなど、中小企業への情報発信にかなり積極的に動いています。

また、自動車業界に関しては経済産業省が「ミカタプロジェクト」という事業を立ち上

脱炭素ポータル

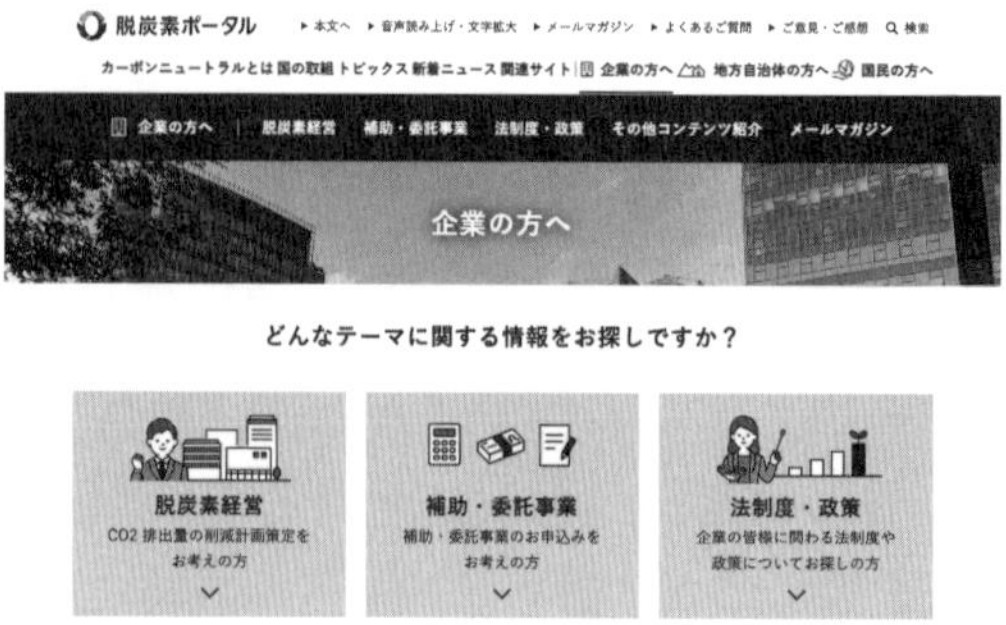

げており、需要の減少が見込まれる自動車部品（エンジン、トランスミッション等）に関わる中堅・中小企業者が、電動車部品の製造に挑戦するといった「攻めの業態転換・事業再構築」を伴走型でサポートする取り組みを進めています。このサポートでは、セミナーや窓口相談は基本無料、専門家派遣は5回まで無料となっています。

そのほか、独立行政法人中小企業基盤整備機構も中小企業・小規模事業者の方々を対象に、対面またはオンラインで脱炭素に関する経営相談を何度でも無料で受けることができる窓口を開設しています。また、同機構は「カーボンニュートラル・チェックシート」も公開しており、自社が脱炭素についてどの程度取り組めて

中小企業支援「ミカタプロジェクト」

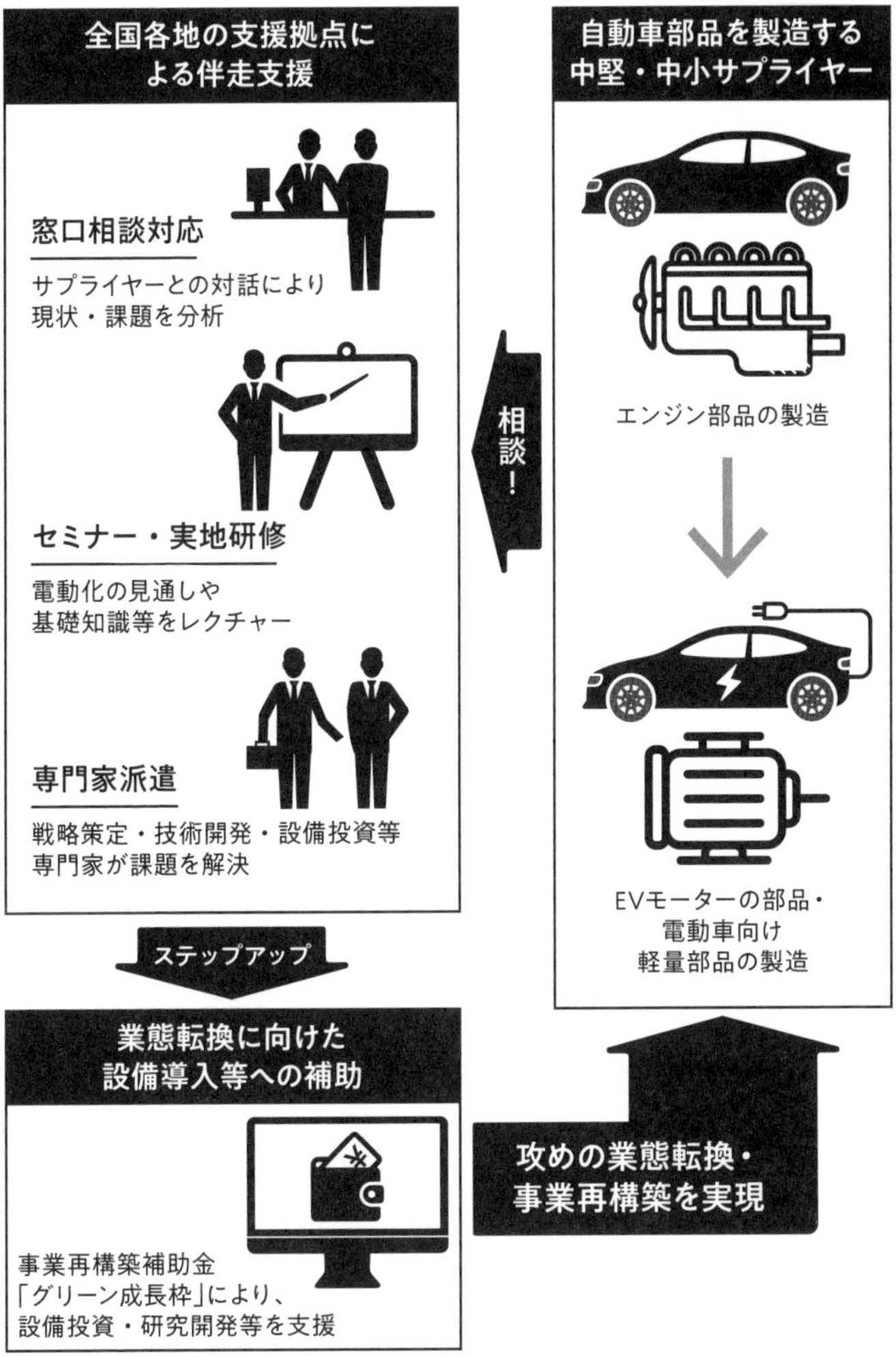

全国各地の支援拠点による伴走支援
窓口相談対応
サプライヤーとの対話により現状・課題を分析
セミナー・実地研修
電動化の見通しや基礎知識等をレクチャー
専門家派遣
戦略策定・技術開発・設備投資等専門家が課題を解決
相談!
自動車部品を製造する中堅・中小サプライヤー
エンジン部品の製造
EVモーターの部品・電動車向け軽量部品の製造
ステップアップ
業態転換に向けた設備導入等への補助
事業再構築補助金「グリーン成長枠」により、設備投資・研究開発等を支援
攻めの業態転換・事業再構築を実現

中小機構 カーボンニュートラル 相談窓口

/ 機構について / 地域本部 / 中小企業大学校 / 共済制度 / 災害対策支援 / 感染症に関する支援
中小機構
English
経営者の方へ
支援機関の方へ
起業家の方へ
ホーム > 経営者の方へ > 経営相談 > SDGsに関する相談 > カーボンニュートラルに関する相談
カーボンニュートラルに関する相談
カーボンニュートラルや脱炭素化に取り組む中小企業・小規模事業者に、豊富な経験と実績をもつ専門家がアドバイスを実施します。また、省エネルギー対策の情報提供や環境経営に関するアドバイスも行います。
カーボンニュートラルとは
二酸化炭素をはじめとする温室効果ガスの「排出量」を削減するとともに、森林などによる「吸収量」を差し引くことで、温室効果ガスを実質的にゼロにする取り組みです。近年、グローバルに展
経営者の方へ
経営基盤の強化
新事業創出
販路開拓
海外展開
経営相談
経営に関する相談
オンライン経営相談「E-SODAN」

いるかをセルフチェックできるコンテンツや各種セミナー等を用意しています。

CO_2を削減し続けることで国からも応援される

このように、さまざまな形で日本政府は中小企業の脱炭素を支援しています。今後、GX推進戦略が実行されていくにつれ、支援の幅や規模はさらに大きくなっていくことも予想されます。このような追い風をうまく活用しながら、脱炭素というビジネスチャンスをつかんでいきましょう。

コラム

GXはノーリスクでファーストペンギンになれる

新しい分野であってもリスクを恐れずに先陣を切って挑戦する人のことを「ファーストペンギン」と呼びます。

ペンギンは常に集団で行動しますが、群れを統率するリーダーはいません。最初に1羽が餌を取るために行動を起こすと、ほかのペンギンがわれもわれもと続いて真似をするため、自然と集団行動になっているのです。群れの中で最初に行動に踏み切るファーストペンギンは、一時的に集団から離れるというリスクはありますが、ブルーオーシャンに1匹で飛び込むため、よりよい餌を獲得する可能性も高くなります。

現在、カーボンニュートラルの取り組みを検討している中小企業も同じ状況にあります。多くの中小企業は、カーボンニュートラルに関する情報が少ないため、他社のカーボンニュートラルへの取り組み状況を見てから、自社の取り組みを始めようと考えています。

読者の皆さんは、カーボンニュートラルへ向けて第一歩を踏み出すための情報を手に入れました。カーボンニュートラルの取り組みには、ほとんどリスクがないこともご理解いただけたかと思います。

ファーストペンギン

　これまでは、CO_2排出量に関係なく、付加価値を生み出す企業が勝つ時代でしたが、これからは違います。CO_2排出量が制限される中で、付加価値を生み出す企業が勝つ時代に変わります。ＧＸは、小さい企業が大きい企業に勝つ２５０年に一度の下剋上のチャンスです。
　今すぐカーボンニュートラルの第一歩を踏み出し、先駆者として多くの事業機会をつかみにいきましょう。

コラム

地球温暖化の仕組み

地球温暖化の原因といわれている温室効果を理解するためには、太陽系の惑星の気温について知っておくとよいでしょう。太陽系の惑星は、太陽から近い順に水星、金星、地球と続きます。子どものころ「すいきんちかもくどってんかい」と覚えた人も多いのではないでしょうか。

それでは、水星と金星とではどちらの気温が高いのでしょうか。太陽に近い水星でしょうか。

答えは金星です。水星は温室効果を持つ大気が存在しないため、日の当たる昼の気温は最高430度、夜の気温は最低マイナス160度になります。一方で、金星は濃厚な二酸化炭素の大気が広がっており、気温は480度です。これが温室効果の現象です。

地球でも金星と同じように温室効果の現象が起きています。ただし、地球は金星と比べて、とても薄い二酸化炭素の大気が広がっているため、人が生きることのできる気温に保たれています。

地球は太陽光のエネルギーによって暖められ、宇宙にエネルギーを放出することによっ

地球温暖化の原因…

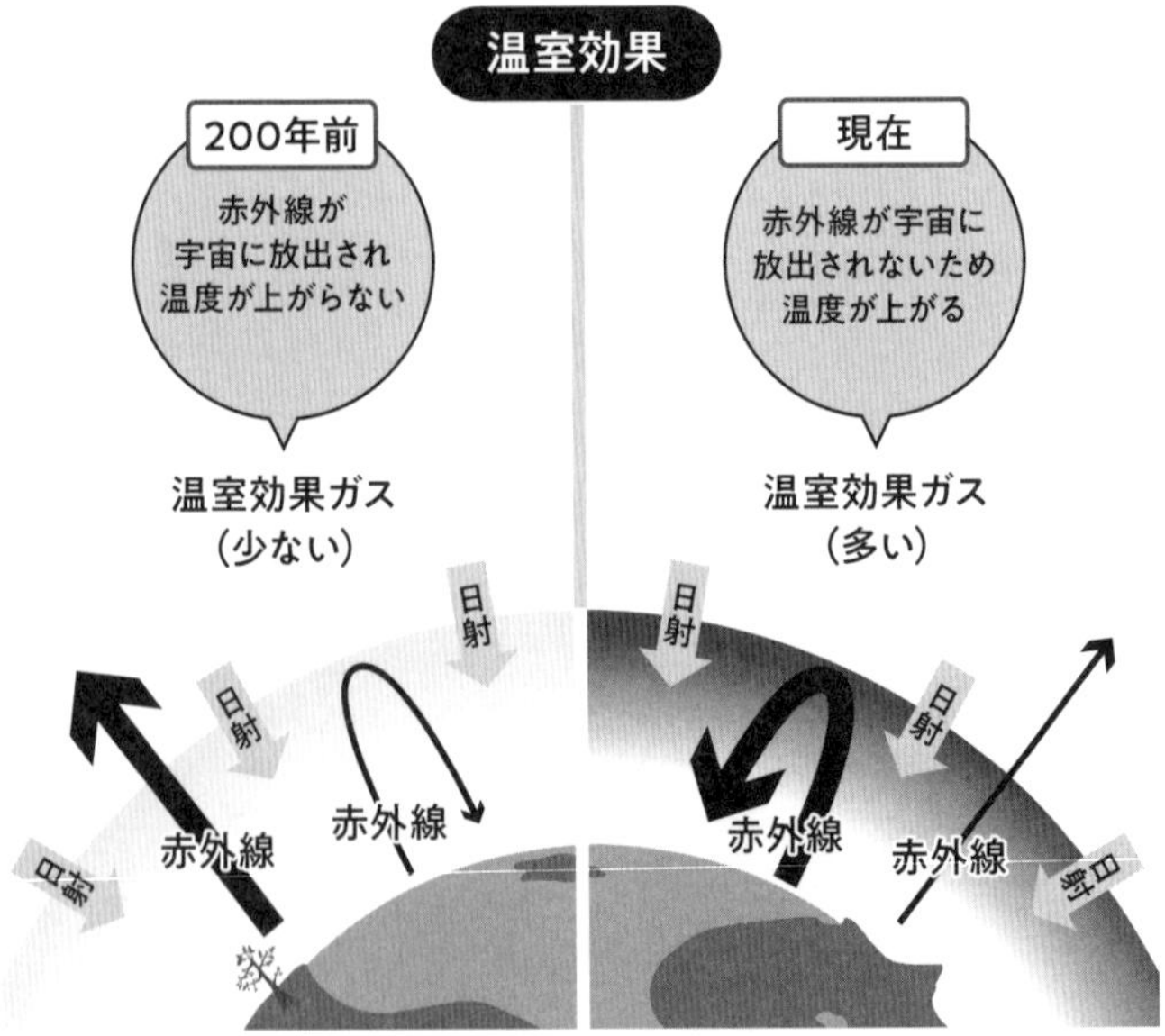

て冷えます。このとき、大気中の二酸化炭素が多いほど、エネルギーが宇宙に放出されにくくなります。250年間で、産業革命以降の大気中の二酸化炭素濃度が約1・5倍増えたことにより、宇宙に放出されるエネルギーが減り、地球の平均気温が少しずつ上昇しています。これが地球温暖化の仕組みといわれています。

このまま地球の気温が上がり続けると、いずれ人は生きることができなくなります。そこまで極端な状況にはならないとしても、産業革命前と比べて平均気温が2度以上上がると、異常気象による被害の増加、海面上昇による都市水没、気温上昇による食料生産量の減少など、さまざまな影響を引き起こす可能性が指摘されています。

こうしたことを踏まえ、地球温暖化を止めるために、まずは二酸化炭素の排出量を減少させることが求められています。

あとがき

「むかしむかし、あるところにおじいさんとおばあさんがすんでいました。おじいさんは山へしばかりに、おばあさんは川へせんたくにいきました」

日本人なら誰でも暗唱できる「桃太郎」の冒頭。子どものころは「なんでおじいさんは毎日山で草刈りしているのだろう?」と思っていましたが、芝ではなく、本当は柴《しば》刈り（薪《まき》集め）をしていたそうです。まさに低炭素低成長だった数百年前、毎日の薪集めが生活の根幹であり、煮炊き用の燃料として、薪集めが一大産業として発展していました。江戸時代中期以降の江戸の人口は100万人を超えていたといいます。100万人分の燃料供給ですから、相当高度な分業体制・経営システムが構築されていました。

しかし産業革命が起こり、使用する燃料は石炭から石油、天然ガス、そして電気へと利便性の高さに応じて進化していきました。柴刈りや薪は遠い過去のものになっています。

産業革命が起きた直後、柴刈りのおじいさんや薪流通の事業者に、20年後に仕事がまったくなくなることが想像できたでしょうか？　ほとんどの経営者は時代の変化に対応できずに、多くが廃業したはずです。しかし、一部の好奇心旺盛な経営者は変化の兆しを素早くとらえ、薪の需要がなくなると考えたでしょう。

現代のわれわれから見れば、柴刈りが廃《すた》れることは明白ですが、転換期の当事者にはわかりません。儲かっている仕事を率先して捨てるなんて、大バカ者に映るでしょう。しかし、先駆者はそうした旧時代の常識に流されず、新たな潮流をとらえて大きく成長していったに違いありません。

これから起こるGX革命でも、さまざまな技術や産業が廃れる一方、われわれがいまだ想像もできない新しい技術や産業が登場するはずです。そして柴刈りの例と同じく、時代の当事者であるわれわれには正解はわかりません。

産業革命は一夜にして達成されたわけではありません。50年、100年といった歳月をかけて世界中に広がっていきました。これは、技術革新に時間を要したことや、情報伝達手段が限られていたことが原因です。

GX革命も一夜にして成りません。超えるべき技術課題は山積しています。しかし、情報伝達速度は250年前とは比べようがありません。技術進歩の動きが全世界へ広がるのはあっという間でしょう。

中小企業の強みは小さいことです。小さいと俊敏に動けます。恐竜絶滅のときにネズミだったわれわれの祖先が生き延びたように、中小企業の強みを生かして、大変革に挑みましょう。本書を手に取った皆さんが、いち早く最新の情報を収集し、俊敏に自分自身を変化させ、GX時代を生き残る先駆者となるよう願ってやみません。

最後に、本書の執筆にあたり、ダイヤモンド社の花岡則夫さん、田口昌輝さんを中心に編集から出版まで多くのサポートをいただきました。また、漫画家のやまがき秀さんには本書の冒頭にわかりやすく親しみやすい漫画を作成していただきました。

加えて、環境副大臣などを歴任された大岡敏孝さんは、中小企業の脱炭素という本書のアイデアのきっかけを与えていただき、執筆においてもさまざまなアドバイスをいただきました。そして、小野裕司さん、大藤顕充さんをはじめ、株式会社ゼロプラスの脱炭素事業に関わるメンバーにも本書の執筆にあたり多くのサポートをいただきました。この場を借りて御礼申し上げます。

【本書のカーボンフットプリント計算について】

本書の裏表紙には、本書の作成から皆さんに届けられるまでのすべての活動で、どれくらいのCO_2排出がおこなわれたのかを計算し、載せています。具体的には、①本そのものの製造にかかるCO_2排出量（紙や印刷インク、カバー等の製造・印刷作業にかかるCO_2排出量）、②本の企画構想、執筆にかかるCO_2排出量、③本の配送にかかるCO_2排出量の３つを計算し、１冊あたりのCO_2排出量を算出しています。

また、そのCO_2の排出に対して、CO_2を削減・吸収する活動を支援することにより、CO_2排出量を相殺（カーボンオフセット）しています。具体的には、本書の作成にあたり排出されたCO_2総量約28トン分を森林保全系のカーボンクレジット（10万〜20万円相当。２０２３年末脱稿時点の見通し）で相殺しています。つまり実質的にカーボンニュートラルを達成している書籍になります。

このような取り組みは、国内商用出版のビジネス書においてはおそらく初めての取り組みとなるでしょう（自社調べ）。

本取り組みにおいて、ｅ‐ｄａｓｈ株式会社様に技術協力をいただきました。ｅ‐ｄａｓｈ株式会社は、企業や自治体のカーボンニュートラル達成を総合支援している、三井物産株式会社発のスタートアップ企業です。

e-dash のホームページ

本書のライフサイクルフロー図

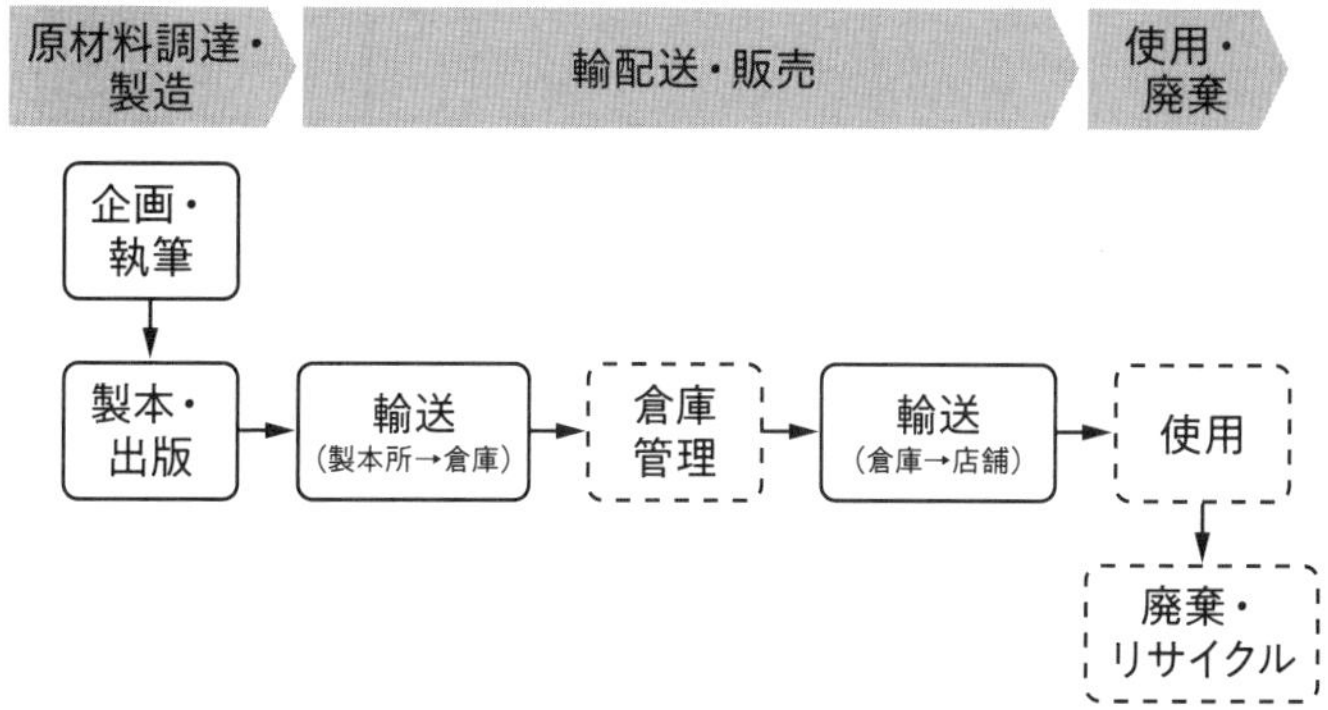

カーボンフットプリント計算の概要

項目	1冊あたりの排出量(kg-CO_2e)	備考
企画・執筆	0.04	株式会社ゼロプラス全体の年間CO_2排出量から１人１時間あたりのCO_2排出係数を計算し、執筆・企画に要した総時間を活動量として計算
製本・出版	6.69	購買金額から環境省データベースの排出原単位を利用することで類推
輸送	0.02	製本所から倉庫、倉庫から店舗までのそれぞれの距離について中型トラック（軽油）による配送（一部航空輸送もあり）を前提として改良トンキロ法により計算
合計	6.75	

[著者]
大場正樹（おおば・まさき）
1975年生まれ、株式会社ゼロプラス代表取締役。
大学卒業後、大手非鉄金属商社に14年勤務し、国内工場の新設や中国子会社の経営再建などを実現。当時の経験を踏まえ、日本の中小製造業が持つ技術力、現場力を活かす仕組みづくりを支援したいと経営コンサルタントとして独立。2014年に法人化し株式会社ゼロプラスを設立。その後、2016年に産業ロボット開発の株式会社ロボプラス、2021年に金属加工業界のデジタル化を行う株式会社XO等、中小製造業の生産性を高めるサービスを複数立ち上げ、事業を拡大している。直近では中小企業版SBT申請支援、CO_2可視化サービス「ゼロモニ」等、中小企業の脱炭素化を支援する事業を新たに推進している。著書に『インフレ時代を生き残る下請け製造業のための劇的価格交渉術』（幻冬舎）がある。

GX時代に下剋上を起こす
下請け製造業のための脱炭素経営入門

2024年1月16日　第1刷発行
2024年3月26日　第2刷発行

著　者——大場正樹
発行所——ダイヤモンド社
〒150-8409　東京都渋谷区神宮前6-12-17
https://www.diamond.co.jp/
電話／03･5778･7235（編集）　03･5778･7240（販売）
漫画————やまがき秀／マンガ製作所
ブックデザイン—二ノ宮匡（nixinc）
DTP ————荒川典久
校正————久高将武
製作進行——ダイヤモンド・グラフィック社
印刷————ベクトル印刷
製本————ブックアート
編集担当——田口昌輝

ISBN 978-4-478-11875-7